LA VOIX DE RENÉ LÉVESQUE

COLLECTION RADIO-LIVRE

La voix de René Lévesque est le quatrième titre
de la collection RADIO-LIVRE, des livres-disques
réalisés à partir d'émissions diffusées
sur les ondes de la radio de Radio-Canada.

LA VOIX
DE RENÉ LÉVESQUE

Une sélection de ses grands discours
et de ses meilleures entrevues

Extraits choisis et présentés par François Brousseau
d'après la série radiophonique de Jacques Bouchard

Première CHAÎNE   CHAÎNE culturelle   **FIDES**

La radio de Radio-Canada

Ces extraits sonores de René Lévesque sont en grande partie, mais non exclusivement, issus de la série radiophonique *Point de mire sur René Lévesque* qui a été diffusée pour la première fois sur les ondes de la Première Chaîne de Radio-Canada du 25 février au 8 mars 2002.
Conception, textes, entrevues et réalisation : Jacques Bouchard
Recherches, adjointe à la réalisation : Micheline Richard
Narration : Céline-Marie Bouchard
Technique : Sylvain Brunet

Données de catalogage avant publication (Canada)

Lévesque, René, 1922-1987
La voix de René Lévesque [ensemble multi-support] :
une sélection de ses grands discours et de ses meilleures entrevues

(Collection Radio-livre ; 4)
Extraits sonores issus de la série radiophonique Point de mire sur René Lévesque,
diffusée par Radio-Canada du 15 févr. au 8 mars 2001.
Publ. en collab. avec Radio-Canada.

ISBN 2-7621-2441-7

1. Lévesque, René, 1922-1987 — Entretiens. 2. Québec (Province) — Politique et gouvernement — 1960-1976. 3. Québec (Province) — Politique et gouvernement — 1976-1985. 4. Premiers ministres — Québec (Province) — Entretiens. I. Bouchard, Jacques, 1953- . II. Brousseau, François, 1956- . III. Société Radio-Canada. IV. Point de mire (Émission de radio). V. Titre. VI. Collection.

FC2925.1.L5A5 2002   971.4'04   C2002-941517-9
F1053.25.L5A5 2002

Dépôt légal : 4ᵉ trimestre 2002
Bibliothèque nationale du Québec
© Société Radio-Canada et Éditions Fides, 2002

Les Éditions Fides remercient le ministère du Patrimoine canadien du soutien qui leur est accordé dans le cadre du Programme d'aide au développement de l'industrie de l'édition. Les Éditions Fides remercient également le Conseil des Arts du Canada et la Société de développement des entreprises culturelles du Québec (SODEC). Les Éditions Fides bénéficient du Programme de crédit d'impôt pour l'édition de livres du Gouvernement du Québec, géré par la SODEC.

IMPRIMÉ AU CANADA

Une radio unique et essentielle

Depuis sa fondation en 1936, la radio de Radio-Canada offre à ses auditeurs une programmation diversifiée et représentative des préoccupations de l'ensemble des Canadiens. Afin d'accroître son rayonnement, la radio publique favorise depuis quelques années des partenariats avec les milieux du livre et du disque. Point culminant de cette démarche, la création de la collection RADIO-LIVRE avec Fides vise à offrir à nos auditeurs, dans un autre format, des émissions qu'ils ont aimées. Elle permet aussi de les faire découvrir à un nouveau public.

Par l'entremise de cette collection, la Radio française de Radio-Canada est fière de prolonger la vie de ses émissions et espère que ce livre-disque sera apprécié autant des auditeurs de la radio publique que des lecteurs de toute la francophonie.

SYLVAIN LAFRANCE

vice-président de la Radio française
et des Nouveaux Médias de Radio-Canada

Avant-propos

PLUS DE QUINZE ANS après sa mort, René Lévesque continue de susciter un énorme intérêt parmi les historiens, journalistes et intellectuels, mais aussi dans le grand public du Québec et même d'ailleurs. Dramatiques télévisées, séries documentaires à la radio, articles et livres — y compris de sérieuses biographies — continuent, jusqu'à ce jour, d'être produits et diffusés autour de ce grand personnage de l'histoire du Québec. Cependant, il manquait encore, dans cette abondante production, un témoignage qui nous ferait, littéralement, *entendre* René Lévesque par lui-même. Le présent radio-livre entend combler cette lacune. La recherche a été systématiquement orientée vers les enregistrements dans lesquels René Lévesque, le journaliste ou l'homme politique, intervient directement et peut, aujourd'hui encore, être entendu.

Dans les pages qui suivent, et dans le disque qui les accompagne, on ne trouvera pas une biographie complète de René Lévesque. Cependant, le défilement des enregistrements s'accompagne d'une « bio-chronologie » détaillée, établie sur mesure, précisément pour introduire et situer ces enregistrements dans leur époque et dans la vie du personnage — que ce soit le René Lévesque journaliste en Corée dans les années 50, ou le vainqueur ému du 15 novembre 1976. La transcription des enregistrements s'est parfois heurtée à la difficulté de reproduire de façon parfaitement lisible le style particulier de René Lévesque : phrases inachevées, propos enchevêtrés, longues incises, toutes choses plus compréhensibles à l'oral qu'à l'écrit. Dans la mesure du possible, les propos de l'ancien premier ministre ont été retranscrits intégralement.

Toutes les époques de la vie de René Lévesque n'ont pas laissé un nombre égal de témoignages auditifs. De plus, dans l'abondant matériel disponible, il a fallu faire un choix serré, car si certaines périodes n'ont pas laissé beaucoup de témoignages, d'autres offrent l'embarras du choix. Le résultat : un choix, qui, nous l'espérons, fera revivre par le texte et la parole l'un des personnages les plus fascinants de l'histoire du Québec.

Parmi tous ceux qui ont témoigné et publié sur René Lévesque au cours des dernières années, nous désirons adresser des remerciements plus particuliers à deux d'entre eux : Charles Camirand, auteur du CD-ROM *René Lévesque — Images, textes et paroles* paru en 1998 chez Micro-Intel, qui regroupe un grand nombre de documents — écrits, photos, vidéos, enregistrements —, et surtout Jacques Bouchard, auteur-réalisateur de la série *Point de mire sur René Lévesque*, diffusée sur les ondes de la Première Chaîne radio de Radio-Canada au début de 2002, dont nous avons repris un bon nombre d'extraits et dont le travail nous a inspirés.

FRANÇOIS BROUSSEAU

René Lévesque à la radio, en 1967. (Photographie André Le Coz, Archives de Radio-Canada.) ▶

Enfant précoce et surdoué du journalisme

RENÉ LÉVESQUE naît à New Carlisle, en Gaspésie, le 24 août 1922. Il est l'aîné des quatre enfants de l'avocat Dominique Lévesque et de Diane Dionne. Surdoué qui sème l'envie autour de lui avec ses excellents résultats, il fait de bonnes études primaires à Gaspé, mais manifeste une tendance à l'indiscipline. Animé d'un tempérament de bagarreur, René aime déjà faire à sa tête et veut emprunter des chemins non balisés. À l'âge très vert de 14 ans, il démontre son sens de l'initiative et son goût pour le journalisme et le débat public en décrochant un emploi d'été comme annonceur et rédacteur de nouvelles à la radio locale. L'année suivante, en 1938, il perd son père qu'il aimait et admirait énormément, et auquel il rendra plus tard un hommage appuyé.

◀ *René Lévesque, correspondant de guerre pour les Américains de retour au Québec, le 25 novembre 1945. (Photographe inconnu, ANQ Montréal, P18 S1 D125.)*

PLAGE 1

En novembre 1977, René Lévesque parle de son père.

Mon père est mort, j'étais très jeune. Je l'ai regretté parce que c'était un type remarquable, un des hommes les plus justes, je crois, et les plus cultivés au sens véritable du mot — c'est-à-dire... au fond cela veut dire civilisé — que j'aie connus. Mais il est disparu tellement vite que j'ai à peine eu le temps de le connaître.

Archives de Radio France, novembre 1977.

PLAGE 2

René Lévesque raconte son premier emploi de journaliste, à 14 ans.

Mais où j'ai probablement attrapé le virus du journalisme, ça a été à New Carlisle. Il y avait un petit poste de radio, qui est devenu un poste assez important, CHNC, qui était un poste encore artisanal. Et dans l'été de mes 14 ans, il est arrivé qu'un gars qui faisait les nouvelles est tombé malade, je pense, en tout cas il a été obligé de s'en aller. Et puis, on m'a pigé comme ça, à 14 ans. On m'a fait traduire les nouvelles, et puis, à un moment donné, on m'a offert de les lire au micro...

Archives de Radio-Canada. Extrait de l'émission « Avis de recherches », août 1984.

Peu après, il quitte sa région natale qui gardera toujours une grande place dans son cœur. Déménagé à Québec, avec sa mère, avant d'atteindre la vingtaine, il y complète ses études classiques puis s'inscrit en droit à l'Université Laval. Il ne terminera jamais ses études supérieures puisque dès 1941 il travaille comme annonceur dans des radios de Québec. À CHRC et à CKCV, puis à CBV, la radio publique, antenne locale de Radio-Canada où il brillera très vite.

Avide de grand large et d'engagement en ces temps de guerre en Europe et de menace nazie, il laisse toutefois Radio-Canada et décroche un emploi en 1944 avec l'*American Psychological Warfare Department*. Il travaillera à Londres pour la Voix de l'Amérique. Son emploi est à cheval entre le journalisme et la propagande pro-alliée : « nous ne mentions jamais, confiera-t-il plus tard, mais il y avait beaucoup de choses qu'on ne disait pas ». Parmi ses moments forts : la libération de la France, qu'il évoquera dans un bulletin pour la radio, et surtout l'entrée au camp de concentration de Dachau avec les forces alliées en avril 1945, événement historique dont il sera l'un des tout premiers témoins oculaires.

PLAGE 3

René Lévesque évoque son travail de correspondant de guerre pour le compte des Américains.

C'était une radio américaine, en Europe, qui parlait plusieurs langues, un peu comme les services internationaux de radio qu'on a aujourd'hui, mais qui s'adressait aux pays occupés. Donc il y avait plusieurs sections comme ça. Et nous, c'était le français, essentiellement. Alors, chacun faisait un peu le même travail, sauf que nous, c'était beaucoup plus direct à la Résistance parce que le débarquement s'approchait de plus en plus et puis tout le monde savait qu'il serait quelque part par là. Et pour le reste, l'information elle-même était très correcte, mais très tronquée. Je n'ai jamais eu l'impression qu'on mentait. Mais c'était incroyable le nombre de choses qu'on ne disait pas. Autrement dit, ce qu'on disait — c'est assez curieux — ce qu'on disait, c'était tout entrecoupé de messages qu'on ne comprenait pas et qu'on n'avait pas à comprendre...

Archives privées (Pierre Tourangeau), juin 1984.

René Lévesque évoque la censure inévitable en temps de guerre.

On traduisait toutes les nouvelles importantes de la journée. On les ajustait pour la radio. Et nos textes nous revenaient avec des coupures énormes, des bouts sabrés, où, dans sa sagesse, la censure militaire avait découvert ou avait pensé que peut-être ça, il ne fallait pas le dire parce que... Mais ils ne déformaient jamais la réalité. Ils en coupaient des morceaux. Mais ça, je pense, en temps de guerre, c'est toujours comme ça...

Archives privées (Pierre Tourangeau), juin 1984.

Du studio de Londres, la voix de René Lévesque en août 1944.

Croyez-le ou non, s'écrie un correspondant, ce soir nous sommes à Grenoble. Oui, à Grenoble, et même au-delà, à quelque cinquante kilomètres seulement de Lyon. C'est une colonne américaine qui a foncé droit au nord en renversant sur son passage les Allemands stupéfaits, et si vite que tout ravitaillement régulier était impossible. C'est la population qui nous aidés à survivre, et si généreusement qu'il fallait retenir les gens pour les empêcher de se dépouiller de tout ce qu'ils avaient. Et là comme ailleurs, l'aide fournie par les Forces françaises de l'intérieur aura été le facteur décisif dans nos succès.

Archives de Radio-Canada. Extrait de « La Voix de l'Amérique à Londres », 24 août 1944.

En juin 1984, René Lévesque évoque la libération du camp nazi de Dachau, dont il a été un témoin direct en avril 1945.

On a ouvert directement le camp de Dachau, parce que les Allemands partaient d'un bout... C'était une ville, le camp de Dachau. On est arrivés, peu à peu, à l'entrée du camp où il y avait d'étroits convois, enfin des restants de convois de wagons à marchandises qui étaient ouverts. C'était au soleil, et il faisait chaud et, à moitié sur le remblai, il y avait des fois des corps qui pendaient. Il y en avait plein les wagons. Il y avait plein de gens morts qui étaient arrivés mais qu'on n'avait pas eu le temps de « traiter », si vous voulez, c'est-à-dire des convois qui amenaient des gens pour les « pitcher » là, ou les mettre dans les crématoires, qui achevaient de pourrir au soleil, dans le wagon ou à côté, etc. Pas besoin de vous dire que ça suffisait comme odeur pour couvrir une bonne partie de la banlieue... Alors on est rentrés dans le camp de concentration, puis... il y avait ceux qui se mouraient et ceux qui étaient morts. Il y avait les cadavres qu'on n'avait pas eu le temps de brûler, alors il y avait tout un stock dans les chambres à gaz...

Archives privées (Pierre Tourangeau), juin 1984.

De retour au Québec en 1945, Lévesque se marie bientôt (en 1947) avec Louise L'Heureux, de qui il aura trois enfants même si ce mariage tournera vite assez mal. Entré à Radio-Canada, au Service international (aujourd'hui Radio-Canada International, la radio ondes courtes pour auditoires étrangers) dès 1946, il évoluera dans cette entreprise durant les 14 années suivantes, alternativement comme animateur à Montréal et grand reporter international, d'abord comme employé à plein temps, puis à la fin comme pigiste-vedette très bien payé. La guerre de Corée permet au public de découvrir, en 1951, ce remarquable conteur à la voix éraillée.

Un moment de la guerre de Corée, en septembre 1951, narré par René Lévesque qui accompagne un bataillon canadien. L'extrait est entrecoupé de commentaires captés en août 1984 qui racontent les circonstances.

(Lévesque en 1951) ▶ Il est onze du soir. Il fait noir et les 1000 hommes du bataillon sont perdus au fond de ce black-out. Et comme des mouches à feu, on voit seulement briller, s'éteindre, briller, s'éteindre la lueur des cigarettes. Quelques bouts de conversation fusent, çà et là, dans les ténèbres, étouffées le plus souvent par la grande clameur des grenouilles et des cigales qui monte des marécages. Sans qu'on me voie, j'ai approché mon micro d'une tente où deux hommes étaient en train de parler tranquillement.

(Lévesque en 1984) ▶ Ils parlaient de… : « Hé, si on pouvait être chez nous, bataillon… » « Si on pouvait être chez nous, taba… » « Si on pouvait être chez nous, câl… » Ça faisait… C'était extraordinaire ! Sauf que c'était à l'époque où on ne pouvait pas sortir ces affaires-là à la télévision. Puis Yves [NDLR : Lévesque veut dire Norm] ne parlait pas français. On est revenus à Séoul avec ça. On savait que c'était bon.

(Soldats enregistrés par René Lévesque en 1951) ▶ « Moi, je viens de la plus belle place du Canada, dans le 22 : Baie Comeau. Les belles grosses rivières qui coulent à l'année, puis les beaux lacs… Après chaque montagne, il y a un lac, les belles truites là-dedans. L'hiver, on n'est pas capable de sauter une montagne sans voir un caribou…

◀ *René Lévesque interroge des militaires canadiens lors d'un reportage en Corée, à l'été de 1951. (Archives de Radio-Canada, © Défense nationale du Canada.)*

▶▶ 7

— Mais une bonne truite, pensez-vous pas que ça serait pas bon ?

— Ouais... Ou bien un bon saumon frais qu'on prend nous autres mêmes... »

(Lévesque en 1984) ▶ On a passé la nuit à enlever, tu sais, « le saumon de la côte Nord "ta-ba" ». J'ai dit à Norm : « Hé, écoute, là, il faut que tu coupes à partir de "Nord". "Ta", ce n'est plus bon, ça. » Puis dans le temps c'était artisanal. Pour faire mon histoire courte... Quand on a eu fini, on avait tout recollé ça, puis c'était à peu près propre. Cela a été bon d'ailleurs. Et puis, à peu près trois semaines après, j'ai reçu une petite bobine, avec des petits bouts collés ensemble. C'était mon Yves [NDLR : Lévesque veut dire Norm]... Maudit... Les v'là mes sacres !

Archives de Radio-Canada. Reportage sur la guerre de Corée,
23 septembre 1951, et extraits de l'émission « Avis de Recherches », août 1984.

Arrive la télévision, dans les années 50. Malgré un physique un peu ingrat qui n'empêche pas une grande capacité de séduction, et une semi-extinction de voix permanente qui disparaîtra comme par enchantement au début des années 60, pendant une campagne électorale, René Lévesque fera merveille à l'écran, réussissant totalement son passage d'un médium à l'autre.

L'émission « Point de mire », one man show télévisé hebdomadaire diffusé de 1956 à 1959 et portant principalement — mais pas exclusivement — sur les affaires internationales, tient une partie du Québec en haleine malgré une faiblesse de moyens (le fameux tableau noir cher à René Lévesque) dont on n'a pas idée aujourd'hui. L'émission,

René Lévesque au micro de Radio Canada International, en 1958. (Archives de Radio-Canada.) ▶

réalisée par Claude Sylvestre, comprenait occasionnellement des reportages à l'étranger et des interviews en studio. Mais le clou, c'était l'animateur, seul devant la caméra, jouant les professeurs et dissertant sur un seul sujet pendant toute la durée de l'émission.

À défaut de se rendre directement en Algérie où les autorités françaises lui refusent un visa, Lévesque ira par exemple en France enquêter sur les retombées de la guerre d'Algérie, l'un de ses sujets fétiches durant les trois années qu'a duré l'émission. Il y fera notamment ressortir les méfaits du colonialisme et le droit des petites nations à l'autodétermination.

PLAGE 8

René Lévesque raconte comment on préparait l'émission « Point de Mire ». Il commence par rappeler que la moitié de son temps de travail, qui totalisait 90 heures par semaine, était consacrée à la lecture.

L'autre moitié du temps était le travail de préparation visuelle, c'est-à-dire des fois aller chercher des bouts qu'on tournait nous-mêmes, mais aussi un terrible travail dans la morgue [NDLR : argot journalistique pour désigner le service de documentation], c'est-à-dire l'arrière-plan des événements, et faire du montage. Moi, c'est toujours ce qui m'a fasciné le plus, c'est le montage, c'est-à-dire de trouver là-dedans une sorte de lien qui permette d'illustrer ce qui se passe. Là on mettait tout ça ensemble, avec Claude et puis son assistante, qui était madame Martel, Rita Martel. Et on était la même équipe pendant les trois ans et un peu plus que ça a duré.

Archives de Radio-Québec, mai 1982.

PLAGE 9

La guerre de décolonisation en Algérie était l'un des sujets favoris de René Lévesque à «Point de Mire». En voici un exemple tiré des archives de l'émission.

Vous avez un pays qui est grand, un million de milles carrés à peu près, qui va jusqu'au fond du Sahara, deux fois comme la province de Québec. Mais là-dedans, dans un dixième seulement à peu près du territoire, dans le nord, vous avez toute la population ou à peu près, et c'est un mélange : vous avez un million d'Européens — évidemment évolués, qui ont à peu près le même niveau de vie qu'en France —, un million à peu près de musulmans qui ont le même standard de vie — on les appelle justement « les évolués », « les adaptés », « les annexés » —, et puis une masse de huit millions de musulmans qui eux sont des clochards, des manœuvres, qui dans l'immense majorité ne savent ni lire ni écrire. Alors il s'agit de remonter ces gens-là au niveau de la France de la métropole et des privilégiés algériens.

Archives de Radio-Canada. Extrait de l'émission « Point de Mire », juin 1959.

PLAGE 10

À la fin de la dernière émission, au printemps 1959, René Lévesque fait ses adieux, à sa manière bien à lui.

Et si l'information c'est vraiment un métier, ben il faut donner les faits désagréables aussi bien que les autres, et laisser parler aussi ceux qui sont mécontents aussi bien que ceux qui sont satisfaits. Parce qu'autrement, l'information ça devient comme une espèce d'agence de publicité, pour faire plaisir uniquement aux gens satisfaits, comme si on était des touristes, à qui il faut montrer seulement le beau côté des choses. Et ici, à cette émission, depuis trois ans, tout ce qu'on peut dire c'est qu'on a essayé de ne pas faire un programme pour touristes. Avec les moyens qu'on avait, de notre mieux, on a essayé de donner, de faire rentrer, tous les faits qui pouvaient, mais uniquement les faits, en 30 minutes. Et si parfois il y a des opinions personnelles qui se sont mêlées avec les faits, à l'occasion par accident, ben... et s'il y a des gens que ça a pu indisposer, ben il n'y a pas besoin de vous dire que je le regrette infiniment. Et puis là-dessus, comme il a été décidé que cette expérience, probablement assez risquée, avait assez duré et que c'est ce soir la dernière émission de la série, eh bien il reste juste à remercier rapidement d'abord ceux qui ont permis de la maintenir à l'horaire pendant trois ans et de faire l'expérience, et puis ensuite ceux d'entre vous qui avez eu, non seulement la patience de la suivre, mais aussi, souvent, de faire savoir ce que vous en pensiez. Et puis enfin, et pour une fois en leur laissant un peu de place sur l'écran, tous ceux que vous n'avez pas vus d'ordinaire, mais qui la plupart du temps ont été en très grande partie responsables en tous cas de tout ce qui a bien marché. Et là-dessus, bonsoir et merci encore une fois.

Archives de Radio-Canada. Extrait de l'émission « Point de Mire »,
30 juin 1959. (Dépositaire : Archives Nationales du Canada.)

René Lévesque sur le plateau de « Point de Mire », le 9 décembre 1956. ▶
(Photographie André Le Coz, Archives de Radio-Canada.)

2

Le saut en politique
la Révolution tranquille

COMMENCÉE dans les derniers jours de 1958, durant un hiver rigoureux, la grève légendaire des réalisateurs de télévision et de radio, qui à l'encontre de la volonté de leurs patrons de la société Radio-Canada entendaient former un syndicat, constitue pour René Lévesque un moment crucial d'éducation politique. Après une brève hésitation, causée par le fait qu'il avait lui-même des engagements de pigiste que les grévistes venaient torpiller, il appuie le mouvement à fond en tant que journaliste, au point d'en devenir même l'un des protagonistes importants.

La brutalité policière devant les manifestations vient s'ajouter à l'incompréhension arrogante des dirigeants anglophones de la Canadian Broadcasting Corporation devant les artisans francophones de la télévision et de la radio publiques. Membre d'une délégation représentant les grévistes, Lévesque fera notamment le voyage d'Ottawa pour

◀ *Le 22 juin 1960, René Lévesque passe de l'autre côté du micro. Invité de Wilfrid Lemoyne, il commente son élection comme député de Laurier. (Photographie André Le Coz, Archives de Radio-Canada.)*

tenter de discuter avec des gens haut placés qui pourraient accélérer un règlement du conflit. Ce sera pour lui l'occasion de découvrir que les Canadiens français comptent pour bien peu à Ottawa et à Toronto.

PLAGE 11

René Lévesque raconte comment la grève des réalisateurs de Radio-Canada a constitué pour lui un moment d'éducation politique.

C'était après qu'on était allés à Ottawa et qu'on était revenus gros Jean comme devant... après avoir vu Michael Starr qui était à ce moment-là le ministre conservateur — c'était le gouvernement Diefenbaker —, et Starr ne comprenait même pas de quoi on parlait. Ce n'était pas de sa faute, pauvre diable, mais enfin, ça ne les avait pas tellement bouleversés à Ottawa. C'était juste le réseau français de Radio-Canada qui était fermé. Et ça faisait déjà, quand on les avait vus, trois semaines, un mois. On s'était dit : si, à Toronto, le réseau anglais fermait, ben, ça ne prendrait pas 24 heures que tout le Parlement serait mobilisé, le gouvernement avec, puis l'armée au besoin, pour rétablir les choses. Mais le réseau français peut rester mort... ou, à toutes fins pratiques, défuntiser provisoirement — mais ça dure — et ça ne les dérange pas. Ça a été une terrible prise de conscience de quelque chose qui se passait, et qui nous touchait directement et qui nous déchirait. Une prise de conscience du fait que le Québec n'avait pas le poids qu'on croyait. Je ne me suis jamais senti vraiment fédéraliste. Je ne m'étais pas senti anti-fédéraliste non plus jusqu'à ce moment-là. Et je pense que je n'exagère pas l'impact... J'exagère peut-être les faits, mais je n'exagère pas l'impact que ça a eu sur nous. Ça nous a donné comme une sorte d'impression de déchirement. On a dit : « Ah bon ! On ne compte pas plus que ça... Ben, tirons-en une leçon ! »

Archives de Radio-Canada.

Peu après cette grève, fort d'une popularité et d'un charisme énormes qu'il aura vérifiés non seulement à la télévision mais également en personne, dans des meetings, auprès de ses camarades militants et du public, Lévesque est approché par le Parti libéral du Québec. Le PLQ s'apprête en effet à mettre fin, l'année suivante, au long règne de l'Union nationale et à proposer un programme de réformes qui sera le fer de lance de ce qu'on appellera la Révolution tranquille. Le journaliste fait le saut en politique et devient immédiatement l'une des vedettes de «l'équipe du tonnerre» dirigée par Jean Lesage.

Le 22 juin 1960, avec 51 sièges sur 95, le Parti libéral du Québec met fin à l'hégémonie du parti de Maurice Duplessis. René Lévesque est élu de justesse dans la circonscription montréalaise de Laurier. Il devient ministre des Ressources hydrauliques et ministre des Travaux publics. Pour lui, la première chose à changer au Québec, ce sont les mœurs politiques corrompues, les élections truquées et les «enveloppes brunes», héritage du long règne de l'Union nationale.

PLAGE 12

Le 22 juin 1960, René Lévesque parle de la nécessité de changer les pratiques électorales.

La première chose, moi je dirais, qu'il faut qui change ici, il me semble, la première de toutes, parce que tous les autres changements sont fragiles si on ne change pas ça, c'est ce qu'on a vu aujourd'hui dans Laurier et dans pas mal de coins de la province... De toute façon, c'est cette espèce de pourrissement, auquel on est obligé de résister, des pratiques électorales. Je crois que c'est ça qui est la première chose.

Archives de Radio-Canada, 22 juin 1960.

▶▶I 12

Mais la grande affaire du début des années 60 au Québec, c'est la nationalisation de l'électricité. Lévesque sera le principal protagoniste de cet événement capital qui symbolise l'entrée du Québec dans la modernité : une façon de donner aux Québécois francophones, aux «Canadiens français» comme on les appelle alors, un outil de promotion sociale, aussi bien collective qu'individuelle. De nombreux jeunes francophones commenceront de fructueuses carrières à Hydro-Québec et dans la nouvelle fonction publique qui se construit alors.

En 1962, l'Hydro-Québec existe déjà depuis les années 40 mais ne contrôle qu'une part limitée de la production et de la distribution d'électricité ; plusieurs compagnies se partagent différents secteurs de la province. L'enjeu de l'étatisation donne lieu à de vifs débats. Les élections de novembre 1962 se jouent presque entièrement sur cette question et ont valeur de référendum. Animé par sa passion de convaincre, René Lévesque retrouve les talents d'orateur et de pédagogue qui l'avaient rendu si populaire dans les années 50.

La nationalisation de l'électricité fait partie de ces enjeux globaux qui permettent d'aborder de nombreuses facettes du débat politique et social. René Lévesque fait d'ailleurs lui-même de la question de la nationalisation le symbole de questions plus larges, et notamment de «l'avancement du peuple canadien-français». Célèbre est resté le discours filmé de René Lévesque, dans lequel, devant une carte et un tableau noir, en reprenant exactement la manière de ses émissions *Point de mire*, il passe en revue les arguments en faveur de la nationalisation. Pendant des semaines, Lévesque fait une tournée du Québec en faisant projeter ce film aux audiences locales avant de répondre aux questions du public.

René Lévesque en compagnie de Lesage et Johnson, le 25 septembre 1968.
(Photographe inconnu, Archives d'Hydro-Québec, Fonds Hydro-Québec (H1).)

La bataille est dure. Les oppositions fortes viennent de l'intérieur même du cabinet libéral d'abord, puis des compagnies d'électricité et des forces conservatrices comme l'Union nationale. Mais le
gouvernement remporte son pari et obtient, le 14 novembre 1962, un
fort mandat de la population pour établir un monopole d'État sur la
production et la distribution d'électricité au Québec.

Au printemps 1962, le gouvernement libéral s'apprête à annoncer son choix en faveur de la nationalisation de l'électricité. René Lévesque n'en fait pas mystère.

On est arrivés au gouvernement en 1960. L'Hydro-Québec a été créée en 1944, ça faisait 16 ans. Et la loi de l'Hydro elle-même implique un développement, une expansion à travers la province qui n'est pas nécessairement uniquement l'expansion pour dépenser de l'argent pour nourrir les autres. Alors, on a étudié pendant un an et demi, et même plus, parce que j'ai commencé à faire un tableau du résultat de ces études dans le ministère, et je crois que vous admettrez qu'on n'a pas dit un mot là-dessus jusqu'à cet hiver, au mois de février, à la « Semaine de l'électricité ». Les raisons, c'est fondamentalement l'intérêt vital de la province. Voyez-vous, on a une source d'énergie native dans la province qu'on produit nous-mêmes, pour laquelle le marché est dans la province, qui est la clé principale, pour nous, de notre développement économique : c'est l'électricité. Il ne s'agit pas de blâmer personne. Les réseaux privés de la Shawinigan, de la Gatineau, etc., ont grandi accidentellement au cours de l'histoire, parce que l'économie, c'était le laisser-faire. Pourquoi c'était pas l'aqueduc, qui sont également des services publics, ou l'égout ? C'était pas payant, je suppose ? L'électricité était payante. Donc, les intérêts privés ont grandi dans l'électricité. Mais ça divise la province en petits empires et, au point de vue économique, quand on sait que c'est l'électricité le même moteur dans toute la province, c'est complètement anti-économique, c'est mauvais parce que ça divise la province de façon artificielle... Vous avez la Shawinigan... — si vous permettez... on pourrait jeter un petit coup d'œil sur la carte ? — Vous avez la compagnie Shawinigan, par exemple, qui est la plus grosse compagnie privée qui reste, dont le réseau de distribution part du Saint-Maurice, ici, ça a été son point de départ, si vous voulez, historique, et vient jusqu'autour de Montréal où se trouve l'Hydro, jusqu'à Valleyfield tout près de Beauharnois où c'est l'Hydro qui produit… parce que les lignes ont poussé comme ça. Quebec Power, qui est à Québec, qui est une filiale en grande partie de la Shawinigan, Quebec Power, son réseau est dans la ville de Québec et puis s'en va vers en bas. Mais dans la Beauce, c'est encore la Shawinigan. Alors ça fait des structures complètement… idiotes, si vous permettez… quand on pense que l'énergie doit servir d'abord au progrès économique de la province. Il y a pire que ça, et puis je pourrais en donner d'autres… Comme vous savez, l'Hydro a investi à Bersimis, à Manicouagan, sur la côte Nord, des centaines de millions… Ce n'est pas pour rien que son actif a monté de 700-800 millions depuis une quinzaine d'années. C'est de l'argent que l'Hydro a placé en l'empruntant ou en le prenant à même ses revenus pour faire des centrales, des barrages, des grandes lignes de transmission qui coûtent des millions aussi, pour ramener le courant vers le cœur de la province. Bon. Ça c'est l'Hydro, notre Hydro à tout le monde, propriété de l'État et de tout le peuple canadien-français, de tous les Québécois, si vous voulez, qui a investi cet argent-là. Les compagnies privées, pendant ce temps-là, ce sont des monopoles, chacune dans son secteur. Quand vous avez une compagnie chez vous qui distribue l'électricité, elle est toute seule. Les compagnies ont arrêté, à toutes fins pratiques, d'investir des centaines de millions parce que l'Hydro le faisait gentiment à leur place. Mais, dans chacun de leurs centres de distribution, partout où elles vendent l'électricité, la demande augmente, augmente, augmente, ce qui fait que l'Hydro prend ses centaines de millions pour faire de l'électricité et vend, en grande partie… Par exemple, 18 % l'an dernier, en 1960 — le dernier bilan —, de la production d'électricité de l'Hydro était vendu à la Shawinigan qui, elle, sur ce 18 % de 4 millions de chevaux-vapeur, par exemple, revend à ses clients, qui sont ses clients captifs, pour faire ses profits avec le courant qu'on a produit à même nos centaines de millions et pour payer des impôts au fédéral. D'autres raisons : c'est une ressource naturelle qui est native à la province de Québec, pour laquelle le marché est dans la province de Québec, chez nous. C'est fait avec notre eau, et c'est partout un monopole... comme service public... Et puis si vous ajoutez les autres arguments, et il y en a encore d'autres, si vous pensez, par exemple, que la planification économique, c'est basé sur des régions de la province, comment on va définir des régions, si on veut que ce soit sérieux les plans économiques, autrement qu'en partant de choses comme l'électricité ? On n'a pas de régions actuellement, on a des divisions abracadabrantes qui ont été faites par hasard.

Archives de Radio-Canada, 3 mai 1962.

PLAGE 14

Un passage du film au cours duquel Lévesque explique, de la même manière qu'à « Point de Mire », pourquoi il est nécessaire selon lui de nationaliser l'électricité.

C'est au peuple du Québec de prendre dans ses mains, librement et fièrement, la première et la plus importante de toutes les clefs d'une économie moderne. Et ça, ça veut dire la nationalisation de l'électricité, c'est-à-dire des onze compagnies — il y en a dix qui sont indiquées ici, il en manque seulement une, une petite filiale de la Shawiningan qui est quelque part sur le Saint-Maurice, la Saint-Maurice Power Corporation. Toutes les autres-là, c'est les compagnies qui font, dans la province de Québec, sous le système de production privée, la production et le commerce de l'électricité et qui ont quelques milliers d'actionnaires seulement, dont souvent, très souvent, les

René Lévesque visite le chantier de Manic-5, en 1963.
(Archives Hydro-Québec, Fonds Commission hydroélectrique de Québec 1944-1963 (H2).)

principaux, les plus pesants, sont en dehors du Québec. Et la nationalisa-tion, c'est simplement de ramener dans le Québec la propriété, entre les mains de 5 300 000 actionnaires, c'est-à-dire nous tous, la propriété de notre électricité.

Alors pourquoi est-ce que c'est nécessaire, ça ? Pourquoi est-ce que c'est nécessaire pour le présent et l'avenir économiques du Québec. Bien, première chose, je crois, qu'il faut savoir, c'est que l'électricité c'est notre seule source d'énergie québécoise. Vous savez tout le reste — le charbon, le gaz, le pétrole — c'est importé de l'extérieur. L'électricité, c'est chez nous et on en a plus comme potentiel que n'importe où au Canada et même n'importe où en Amérique du Nord. On est plus riches de ça que n'importe qui autour de nous.

Extrait d'un film du Parti libéral du Québec, novembre 1962.
(Dépositaire : Archives nationales du Québec.)

PLAGE 15

Un second passage du même film.

Ce système de petits royaumes et de grands empires, ça fait ceci par exemple dans le Bas-du-Fleuve. Vous avez là une compagnie, Pouvoir du Bas-Saint-Laurent, qui est maganée, qui n'a pas entretenu ses lignes, qui bloque tout le Bas-du-Fleuve avec des tarifs trop élevés et pas assez d'abondance d'éner-gie, et qui en même temps, comme vous le voyez, bloque toute l'entrée de la Gaspésie. Et ça, depuis des années que ça dure… La compagnie ne peut pas ou ne veut pas moderniser, elle se paye des dividendes mais ses lignes, lit-téralement, sont à la veille de tomber, ses sous-stations, sa fourniture de courant, tout ça c'est mauvais et puis il n'y a pas d'industrie.

Maintenant, à l'autre bout de la province, vous avez l'Abitibi, dominé par la Northern Quebec Power. Depuis des années et des années, on lui demande de changer le 25 cycles. Il y a encore du courant en 25 périodes ou 25 cycles là-bas, un des seuls endroits où ça demeure encore en Amérique du Nord. C'est un courant qui saute tout le temps, qui n'est bon à rien. L'industrie n'en veut pas et il n'y en a pas assez. Mais la Northern Quebec Power ne peut pas ou ne veut pas, depuis des années, changer ça. Ce qui fait que l'Abitibi est paralysé avec son 25 cycles et l'industrie n'y va pas.

Extrait du même film.

Après ce premier succès, René Lévesque est étroitement mêlé à une autre bataille importante du gouvernement libéral : la mise sur pieds de la Caisse de Dépôt, une caisse de retraite qui centralisera les économies des Québécois et favorisera les investissements autochtones, profitables au Québec.

3

La rupture avec les libéraux
la fondation du PQ
les années d'opposition

UNE FOIS FRANCHIES ces étapes historiques, René Lévesque commence à se sentir un peu à l'étroit à l'intérieur du Parti libéral. La question nationale et la question linguistique reviennent en force hanter la société québécoise en ce milieu des années 60. Des partis prônant l'indépendance du Québec — le Rassemblement pour l'indépendance nationale (RIN) d'André d'Allemagne et Pierre Bourgault, et le Ralliement national (RN) de Gilles Grégoire — ont vu le jour. Un groupuscule terroriste pro-indépendance, le Front de libération du Québec (FLQ), fait parler de lui après avoir commis quelques attentats à la bombe.

Le malaise de Lévesque s'accentuera après la défaite surprise des libéraux aux élections de juin 1966 que l'Union nationale remporte avec une majorité de sièges, mais avec moins de votes que le Parti libéral. Plus à gauche et plus nationaliste que la moyenne des représentants

◀ *René Lévesque en 1970. (Photographie Guy Dubois, Archives de Radio-Canada.)*

du Parti libéral, Lévesque évolue peu à peu vers une forme de rupture avec le régime fédéral du Canada, dans lequel le Québec cherche en vain à obtenir une reconnaissance de son caractère national.

Sur ce thème, Lévesque s'était distingué dès le début de sa participation au gouvernement Lesage en évoquant la question de l'indépendance sans jamais la mettre tabou : « un Canada différent ou pas de Canada » ; « l'indépendance ne serait pas la fin du monde » ; « je ne suis pas séparatiste mais je pourrais le devenir », déclare-t-il à différentes occasions tout en restant ministre ou député libéral.

À l'été de 1967, le président français, le général Charles de Gaulle, prononce à Montréal son discours du balcon de l'hôtel de ville, ponctué du célèbre « Vive le Québec libre ! ». Mais déjà Lévesque a en poche, depuis le printemps de cette même année, un plan de réforme profonde des relations Québec-Canada, qu'il baptise « souveraineté-association ». Ce plan se base sur l'affirmation de l'égalité entre les deux peuples qui fondent le pays, égalité que nie le Canada, selon Lévesque. Détail intéressant : Lévesque dira plus tard que l'exclamation célèbre de de Gaulle, loin d'accélérer son mouvement de rupture avec ses camarades libéraux fédéralistes, l'aurait plutôt retardé de quelques mois…

PLAGE 16

À l'automne de 1967, René Lévesque revient sur l'exclamation du général de Gaulle, et sur l'influence qu'elle a eue sur sa démarche.

Louis Martin, journaliste ▸ Ce passage du général de Gaulle au Québec, monsieur Lévesque, est-ce que ça a influencé en quelque manière votre décision qui a suivi au mois de septembre ?

René Lévesque ▶ Moi, je crois que — contrairement à d'autres, pour des raisons peut-être qui tenaient au fait qu'on était un groupe qui essayait de discuter son affaire et que notre cheminement à nous aboutissait à peu près à ce moment-là — ça nous a retardés. Parce que c'est devenu tellement émotif, il y a eu tellement de hurlements dans tous les coins à la suite du « Québec libre » et du passage de De Gaulle que — ce n'était pas mauvais en soi — mais on a décidé d'y repenser, de prendre le temps qu'il fallait. Par ailleurs, je crois que c'est la chose qui a permis, à la suite d'un certain caucus plus ou moins malheureux du Parti libéral, de faire inscrire officiellement — de façon à pou-

Sur la terrasse arrière de l'Hôtel de ville de Montréal, René Lévesque et Yves Michaud regardent en direct à la télévision le général de Gaulle qui fait sa déclaration, le 23 juillet 1967. (Photographie Jules Rochon, ANQ Québec, P743 D3 P34.)

▶▶ 16

« Vive le Québec libre ! » lance le général de Gaulle aux Montréalais réunis devant l'Hôtel de ville le 23 juillet 1967. (Photographie Jules Rochon, ANQ Québec, P743 D10 P17A.)

voir aller clairement, sinon au fond des choses, en tout cas à une décision là-dessus — le problème constitutionnel au congrès qui a eu lieu à la mi-octobre, avec les résultats qu'on sait.

L.M. ▸ Mais ça n'a pas modifié profondément votre option à vous. C'était déjà fait.

R. L. ▸ Non. La seule chose, c'est que ça donne une sorte de réaction. Ce qui n'était pas déjà fait complètement était en train de se finaliser avec d'autres, mon attitude si vous voulez ; mais ça m'a donné une sorte de réaction de méfiance parce que ce que de Gaulle a fait de bon n'était pas, je crois, telle-ment dans cet incident lui-même qui au point de vue protocolaire pouvait être très discutable — après tout il est chef d'État dans un autre pays — et ça donne une sorte de méfiance parce que c'est bien beau de voir des gens dire « De Gaulle l'a dit ! De Gaulle l'a dit ! », mais ce n'est pas lui qui va nous régler nos problèmes et je pense bien qu'il en est aussi conscient que n'importe qui. À toutes fins pratiques, ce que ça voulait dire, c'était : « Réglez-les vos problèmes ! Vous avez le droit d'être libres. » Moi c'est comme ça que je l'ai interprété, quant à moi. Et ça donne une réaction de méfiance parce qu'on se demande : est-ce qu'on va compter sur quelqu'un — même si c'est un des plus grands hommes du siècle, avec un pays avec lequel on doit avoir des relations de plus en plus proches — sur quelqu'un qui dans deux, trois, cinq ans ne sera plus là et sur, toujours, ce côté mendiant qui est une de nos faiblesses dans le genre « c'est lui qui va nous donner les capitaux ». Comme si le développement d'un peuple, ça devait être fait par les autres.

Archives de Radio-Canada. Extrait de l'émission « Dossiers », 27 novembre 1967.

Ce plan de réforme des institutions politiques, exposé dans le manifeste *Un Québec souverain au sein d'une union économique canadienne*, qui deviendra, début 1968, le succès de librairie *Option Québec*, reprend en les atténuant par l'aspect « associatif » les exigences du RN et du RIN. Lévesque entend présenter ce document à l'automne de 1967, en congrès, aux délégués du Parti libéral.

Vivement éconduit, en butte à l'hostilité désormais ouverte de ses ex-camarades, n'ayant même pas pu soumettre son projet au vote des congressistes, Lévesque quitte avec fracas les assises libérales le 14 octobre 1967. Il remet sa carte de membre du parti et fonde son propre mouvement, le Mouvement Souveraineté-Association (MSA), qui deviendra dès l'automne de 1968 un parti en bonne et due forme : le Parti québécois (PQ).

Le soir de la fondation officielle du PQ, le 14 octobre 1968, le discours de clôture du président du nouveau parti résume les attentes des nationalistes québécois de la fin des années 60, tout en rendant à merveille l'atmosphère de l'époque et la ferveur militante des indépendantistes.

PLAGE 17

Extraits du discours prononcé à la fin du congrès de fondation du Parti québécois, en octobre 1968.

Mais ce soir-là, le groupe qu'on était, on était seulement une vingtaine, on savait simplement que pour nous ça pouvait pas être la fin, c'était le commencement. Mais, de quelle façon, vous savez, par quel moyen, à quel rythme surtout on pouvait développer cette amorce de ce qu'on a appelé notre option, de quelle façon on pourrait la faire vivre et l'enraciner, ça, on ne savait pas du tout. Mais ce qu'il y a de curieux, c'est qu'elle s'est mise, cette option, à vivre tout de suite et à grossir puis à s'agrandir par elle-même, beaucoup plus vite qu'on n'aurait jamais cru que c'était possible. Pendant qu'on se demandait comment on réussirait à la maintenir, elle n'a pas attendu qu'on fasse des plans de stratégie. Elle a décidé de nous pousser dans le dos. Et c'est sous cette pression qui était faite de lettres, de rencontres, de téléphones, dont un bon nombre d'auteurs d'ailleurs sont ici sûrement, dans cette salle, que pendant quelques semaines nous avons pris et repris, et je vous assure avec un sens beaucoup plus aigu chaque jour de la responsabilité que ça constituait, que nous avons repris ligne par ligne, et presque mot à mot, cette option qui nous avait réunis, qui prenait la forme d'un manifeste, comme on l'appelait, et dont la première phrase, et ça me frappe assez curieusement aujourd'hui, était non seulement devenue pour nous une chose qui allait de soi, qui était toute simple, mais qui était aussi, cette phrase, un germe assez actif, je suppose, parce qu'elle contenait déjà le nom que vous avez décidé, que nous avons décidé de choisir, c'était tout simplement : « Nous sommes des Québécois. »

C'est un très beau nom qu'on a choisi. C'est même sûrement le plus beau nom qu'on pouvait donner à un parti politique. Mais j'espère aussi que nous sommes tous conscients, et que nous l'étions en le choisissant, de l'écrasante responsabilité additionnelle qu'il nous impose. Je crois bien qu'on sait tous qu'on ne peut pas jouer avec le nom du pays qui va être le nôtre. Et c'est un pays, le Québec, qui contient encore quand même un grand nombre de nos concitoyens, sincères eux aussi, eux aussi Québécois, qu'il s'agit d'attirer et non pas de heurter et encore moins de repousser. Il va donc falloir être capables de le porter ce nom puisque nous l'avons pris avec la dignité, avec en particulier l'absence de tout commercialisme facile et l'espèce d'indiscutable responsabilité additionnelle que nous avons décidé de prendre en même temps que nous l'avons choisi. Écoutez, quant à moi, sans aucune hésitation, je vous avouerai que je commence déjà à m'y habituer... mais que c'est un nom que je voyais presque trop lourd, et je compte bien que nous allons tous nous aider à le mériter. Mais il va falloir, à commencer par ceux qui ont le plus activement vendu ce nom... il va falloir que nous nous aidions tous chaque jour davantage à le mériter. Et il faudra compter d'abord et avant tout sur l'équipe, pour laquelle je félicite le congrès, que vous avez ajoutée aux trois qui étaient déjà élus et à qui vous avez donné cette charge parmi bien d'autres. Je félicite le congrès ; eux, je n'ose même pas les féliciter. Je nous souhaite, tous ensemble, bonne santé. Le travail, on n'a pas besoin de s'en souhaiter pour l'année qui vient.

En tout cas, pour finir sur la question du nom, avant qu'il commence à se répandre dans tout le Québec, il faut absolument encore une fois que nous le

*René Lévesque en compagnie des deux premières têtes d'affiche du Parti québécois :
Camille Laurin, à gauche, et Jacques-Yvan Morin, à droite. (Le Journal de Montréal.)*

portions avec la plus grande intégrité jusqu'au jour où il nous restera seulement à l'abandonner parce qu'il aura joué son rôle. Quand le Québec sera
un pays, on ne pourra plus s'appeler Québécois... On le sera tous. Et ce jour-
là, il va venir aussi sûrement que la vie, c'est bien plus vivable que la survivance. Aussi sûrement que la santé, c'est préférable à l'anémie permanente ;
aussi sûrement que la libre responsabilité, ça vaut mieux qu'un climat de
dépendance et d'incertitude ; et aussi, aussi sûrement qu'une fois débarras-
sés de notre vieille et effrayante inaptitude à croire en nous-mêmes, nous
constaterons très vite que dans tous les domaines, y compris celui de la vie
économique, aussi sûrement là qu'ailleurs, qu'un peuple qui mène son affaire,
et de plus en plus en même temps *ses* affaires, avance infiniment plus vite et
mieux qu'une société privée de sa véritable faculté de décision et des principaux instruments de cette décision.

[...] Grâce au travail des trois derniers jours, je crois que nous commençons sérieusement, pour de bon, maintenant, à la fin de ce congrès, à être
équipés pour nous lancer dans ce voyage vital vers le changement nécessaire
et à rendre ce voyage aussi bref, dans le sens, si vous voulez en travaillant
tous ensemble, aussi sécuritaire que possible. On s'est donné des statuts
où on a fait, je crois, tout ce qui était humainement possible pendant d'épui-
santes heures d'ateliers, puis en séance plénière pour combiner la liberté
d'action, de pensée... dans ce parti-là avec l'efficacité nécessaire à l'action
politique. En vivant dans cette structure, on verra comment l'améliorer. Elle
va prendre vie en même temps que le parti et on verra en cours de route,
d'une année à l'autre, chaque fois que ce sera nécessaire, comment elle
aura sûrement besoin d'être amendée et améliorée. On n'a pas eu la per-
fection du premier coup, mais on a combiné, je crois, autant qu'il était
humainement possible, ces deux notions vitales à un parti qui se veut ce

que nous sommes, ce que nous voulons être : la liberté totale des membres avec quand même des structures d'efficacité.

[...] En terminant, je voudrais vous dire que la chose que nous allons protéger, comme nous l'avons fait en préparant ce congrès dans l'exécutif du MSA comme dans l'exécutif du RN, dans l'exécutif nouveau, c'est ce même souci — qui, je l'espère, sera central pendant toute cette période qui est loin d'être finie encore où nous existons de plus en plus — et qui sera que ce parti ça va être aussi vrai qu'il est à ses membres que ça va finir par être vrai que le Québec est aux Québécois. En terminant, je voudrais bien vous rappeler encore une fois — je m'habitue en même temps — que, avec notre nouveau nom, il va falloir travailler à partir de ce soir et de demain matin et sans arrêt, pour que ça ne devienne pas un nom gênant, à convaincre et à persuader le plus vite possible tout le monde de dire avec nous : « Nous sommes des Québécois. »

Archives de Radio-Canada. Extrait du « Congrès de fondation du Parti québécois », 14 octobre 1968.

Un extrait d'*Option Québec*, évoqué dans le discours qui précède, explicite à merveille les propos de René Lévesque.

I- Nous autres

Nous sommes des Québécois.

Ce que cela veut dire d'abord et avant tout, et au besoin exclusivement, c'est que nous sommes attachés à ce seul coin du monde où nous puissions être pleinement nous-mêmes, ce Québec qui, nous le sentons bien, est le seul endroit où il nous soit possible d'être vraiment chez nous.

Être nous-mêmes, c'est essentiellement de maintenir et de développer une personnalité qui dure depuis trois siècles et demi.

Au cœur de cette personnalité se trouve le fait que nous parlons français. Tout le reste est accroché à cet élément essentiel, en découle ou nous y ramène infailliblement.

Dans notre histoire, l'Amérique a d'abord un visage français, celui que, fugitivement mais glorieusement, lui ont donné Champlain, Joliet, La Salle, LaVérendrye… Les premières leçons de progrès et de persévérance nous y sont fournies par Maisonneuve, Jeanne Mance, Jean Talon ; celles d'audace ou d'héroïsme par Lambert Closse, Brébeuf, Frontenac, d'Iberville…

Puis vint la conquête. Nous fûmes des vaincus qui s'acharnaient à survivre petitement sur un continent devenu anglo-saxon.

Tant bien que mal, à travers bien des péripéties et divers régimes, en dépit de difficultés sans nombre (l'inconscience et l'ignorance même nous servant trop souvent de boucliers), nous y sommes parvenus.

Ici encore, quand nous évoquons les grandes étapes, nous y retrouvons pêle-mêle Étienne Parent avec LaFontaine et les Patriotes de 37 ; Louis Riel avec Honoré Mercier, [Henri] Bourassa, Philippe Hamel ; Garneau avec Édouard Montpetit et Asselin et Lionel Groulx. Pour tous, le moteur principal de l'action a été la volonté de continuer, et l'espoir tenace de pouvoir démontrer que ça en valait la peine.

Jusqu'à récemment, nous avions pu assurer cette survivance laborieuse grâce à un certain isolement. Nous étions passablement à l'abri dans une société rurale, où régnait une grande mesure d'unanimité et dont la pauvreté limitait aussi bien les changements que les aspirations.

Nous sommes fils de cette société dont l'habitant, notre père ou notre grand-père, était encore le citoyen central. Nous sommes aussi les héritiers de cette fantastique aventure que fut une Amérique d'abord presque entièrement française et, plus encore, de l'obstination collective qui a permis d'en conserver vivante cette partie qu'on appelle le Québec.

Tout cela se trouve au fond de cette personnalité qui est la nôtre. Quiconque ne le ressent pas au moins à l'occasion n'est pas ou n'est plus l'un d'entre nous.

Mais nous, nous savons et nous sentons que c'est bien là ce qui nous fait ce que nous sommes. C'est ce qui nous permet de nous reconnaître instantanément où que nous soyons. C'est notre longueur d'ondes propre, sur laquelle, en dépit de tous les brouillages, nous nous retrouvons sans peine et seuls à l'écoute.

C'est par là que nous nous distinguons des autres hommes, de ces autres Nord-Américains en particulier, avec qui nous avons sur tout le reste tant de choses en commun.

Cette « différence vitale », nous ne pouvons pas l'abdiquer. Il y a fort longtemps que c'est devenu impossible.

Cela dépasse le simple niveau des certitudes intellectuelles. C'est quelque chose de physique. Ne pouvoir vivre comme nous sommes, convenablement dans notre langue, à notre façon, ça nous ferait le même effet que de nous faire arracher un membre, pour ne pas dire le cœur.

À moins que nous n'y consentions peu à peu, dans un déclin comme celui d'un homme que l'anémie pernicieuse amène à se détacher de la vie.

De cela, encore une fois, seuls les déracinés parviennent à ne pas se rendre compte.

(*Option Québec*, Chapitre I, Montréal, Éditions de l'Homme, 1988)

En avril 1970, aux premières élections auxquelles il participe, le Parti québécois obtient près du quart des suffrages exprimés, tout en ne faisant élire, à cause du système électoral, que sept députés sur 108. Deux autres partis se classent derrière lui en pourcentage du vote, mais devant lui pour le nombre de sièges : l'Union nationale déclinante, dont les deux dernières années de pouvoir sous Jean-Jacques Bertrand ont été catastrophiques, et le Ralliement créditiste, étoile filante de la politique québécoise qui perce alors dans les régions rurales.

René Lévesque est battu dans sa circonscription montréalaise de Laurier. Robert Bourassa devient premier ministre. Le soir même des élections, et six mois avant la crise d'Octobre, Lévesque tient à la radio des propos prémonitoires sur ceux qui – devant l'injustice du système électoral – pourraient « avoir des tentations » de dire « ça ne vaut pas la peine » et d'utiliser d'autres méthodes, allusion transparente au FLQ et au terrorisme.

PLAGE 18

Le soir des élections générales d'avril 1970, René Lévesque s'inquiète de la désuétude du système électoral québécois.

Il faut insister beaucoup là-dessus. Ce que ça souligne, c'est la désuétude dangereuse — parce que là, je voudrais qu'on évite des réactions qui peuvent, qui pourraient être néfastes —, la désuétude du système électoral. On s'est tué à le dire : la carte électorale du Québec est une caricature, et le système électoral n'est pas conforme à la réalité sociale d'aujourd'hui ni à la réalité politique. Alors, si on veut pouvoir éviter une démoralisation, une amertume qui pourrait être dangereuse chez les jeunes en particulier des

nouvelles générations, qui veulent croire au procédé démocratique, il fau-
drait qu'on leur prouve que ça peut être vrai. Et je demanderais instam-
ment au nouveau gouvernement de réaliser le plus vite possible les promesses qu'il a faites, et même d'aller un peu plus loin que certaines
promesses, et de nettoyer une fois pour toutes avant qu'on ait, peut-être,
des tentations dans certains milieux de dire « ça ne vaut pas la peine », de nettoyer la qualité démocratique de notre système de représentation. Ça, ça
presse terriblement.

Archives de Radio-Canada. Extrait de « La Soirée des élections », 29 avril 1970.

Malgré sa quatrième place à l'Assemblée nationale, le PQ se retrouve dès
lors dans le rôle de « vrai » second parti au Québec. À l'automne, survient
la crise d'Octobre, qui marque le point culminant des actions terroristes
du FLQ. En octobre 1970, le FLQ enlève un attaché commercial britan-
nique, James Richard Cross, et un ministre du gouvernement québécois,
Pierre Laporte. Ce dernier est tué au bout d'une semaine.

René Lévesque, chef « extraparlementaire » de l'opposition mais
aussi chroniqueur politique au *Journal de Montréal*, se dissocie d'une
manière très claire de l'action des terroristes. Immédiatement après
l'assassinat de Pierre Laporte, il rédige une lettre solennelle, avec
d'autres personnalités publiques — dont le chef syndical Marcel
Pepin et le directeur du quotidien *Le Devoir*, Claude Ryan. Peu après,
il y va d'une déclaration à la radio.

PLAGE 19

Octobre 1970 : le lendemain de l'annonce de l'assassinat de Pierre Laporte, René Lévesque dénonce les felquistes mais aussi l'intransigeance du gouvernement canadien.

La mort de Pierre Laporte nous a tous atterrés. C'est tellement barbare ce gaspillage atroce d'une vie qui, sur le plan public comme sur le plan privé, était si remplie et juste au sommet de la maturité. Dans le souvenir que gardent de lui ceux qui l'ont bien connu, une chose revient avec insistance, comme pour souligner encore davantage le caractère absurde de son assassinat, c'est à quel point il était intensément vivant, de ceux qui sont le plus amoureux de la vie et capables de l'employer au maximum. Nous pouvons à peine imaginer ce qu'a pu être l'angoisse de sa famille depuis une semaine et ce que peut être leur douleur maintenant qu'ils savent que toutes ces heures de cauchemar étaient en réalité celles d'une terrible agonie. Ils peuvent être sûrs que tout le Québec, et sûrement tous ceux qui sont ici, partagent leur deuil, et qu'on fera au moins tout le possible pour que cette perte tragique ne reste pas inutile. Le gouvernement québécois se trouve privé brutalement de son leader parlementaire et du ministre peut-être le plus vigoureux et sûrement le plus expérimenté du cabinet. Le domaine public est donc lui aussi grandement appauvri par cette disparition. Ceux qui, froidement et délibérément, ont exécuté monsieur Laporte après l'avoir vu vivre et espérer pendant tant de jours, sont des êtres inhumains. Ils ont importé ici, dans une société qui ne le justifie absolument pas, un fanatisme glacial et des méthodes de chantage à l'assassinat qui sont celles d'une jungle sans issue. Si leur sauvagerie reflétait si peu que ce soit le vrai Québec, on voudrait s'en aller à jamais le plus loin possible. On ne peut que leur souhaiter le pire des châtiments : de vivre assez longtemps pour voir qu'ils ne représentent rien ni personne de valable, que leur geste était non seulement criminel, mais insensé. S'ils ont vraiment cru avoir une cause, ils l'ont tuée en même temps que Pierre Laporte, et en se déshonorant ainsi, ils nous ont tous plus ou moins éclaboussés, nous les Québécois. Il va donc nous falloir tous ensemble laver cette tache de notre mieux et le plus vite possible. Il faut sortir de là, et je crois que ça devrait être possible, meilleurs, plus fraternels, conscients surtout comme jamais du prix inestimable de chaque vie humaine, et, par conséquent, plus pressés que jamais de rendre cette vie vivable et digne pour tous ceux qui ont été trop négligés. Ce sera, en définitive, l'honneur du Québec de tirer de cette épreuve une soif de vrai progrès qui enlève jusqu'au moindre prétexte aux terroristes actifs ou en puissance dont nous avons la même fraction, hélas, que toute société civilisée. Au moment où nous en parlons, cependant, il semble que monsieur Cross est encore vivant. Tout ce qui est humainement possible doit être fait pour le sauver, maintenant surtout qu'on a payé si cher pour savoir que les ravisseurs sont capables d'aller jusqu'au bout. Nous croyons que la ligne intraitable et sans compromis de la raison d'État qu'Ottawa a dictée jusqu'à présent porte une lourde part de responsabilité pour le dénouement tragique que nous vivons. Ce n'est pas le moment de déguiser ce qu'on pense. Il y a une semaine déjà, à monsieur Bourassa, ceux d'entre nous qui le pouvaient ont fait savoir notre accord avec la démarche qu'il semblait avoir décidée, c'est-à-dire de tâcher sérieusement de négocier un échange. Et on a espéré que ce geste n'avait pas été posé pour gagner du temps et que le gouvernement allait bouger vite dans le sens qu'il semblait avoir arrêté. Au milieu de la semaine, avec une vingtaine d'autres, qui sont maintenant des centaines, nous pressions encore le gouvernement québécois de négocier sans plus de délai. Nous n'avons pas été entendus et on sait maintenant que la décision était déjà prise à

Ottawa. On sait aussi que tout cela a conduit jusqu'à présent à la mort de l'un des deux hommes et à cette dégradation politique et sociale que nous redoutions et dont on profite déjà pour mettre tout le Québec sous régime d'occupation. Ceux qui, à la direction de l'État, sont allés jusque-là ont certes cru qu'ils y étaient obligés. Nous croyons, nous, qu'ils ont fait une grave erreur. Maintenant qu'ils savent comme nous tous ce que cela a coûté, il nous semble qu'ils devraient trouver la force de reconsidérer leur position en songeant désormais par-dessus tout à sauver celui qui est encore vivant. Il nous semble que cette force serait plus vraiment grande, et en fin de compte plus ferme sur l'essentiel, que la présente rigidité.

Archives de Radio-Canada. Extrait d'une émission spéciale, 18 octobre 1970.

4 La traversée du désert, le « virage référendaire » et la prise du pouvoir

L ES ANNÉES 1971-1976 s'apparentent pour René Lévesque à une traversée du désert. Le PQ subit une nouvelle défaite en octobre 1973, ne conservant que six députés malgré une hausse appréciable des suffrages recueillis (30%).

Lévesque, battu de nouveau dans sa circonscription, personnellement aux prises avec une certaine gêne matérielle, envisage sérieusement de prendre sa retraite de la politique. Les militants péquistes le détournent de cette idée et proposent de lui verser un salaire — ce qu'il refuse. Il demeure président du Parti québécois malgré son absence prolongée de l'Assemblée nationale et maintient son activité journalistique au quotidien *Le Jour* qu'il a fondé en 1974 en compagnie de Jacques Parizeau et du journaliste Yves Michaud. Aux prises avec des difficultés financières et une crise à la rédaction, le quotidien ferme ses portes à l'été de 1976, ironiquement à trois mois de la prise du pouvoir par le PQ.

◀ *15 novembre 1976 : le Parti québécois remporte les élections. Au Centre Paul-Sauvé, René Lévesque s'adresse aux militants au soir du scrutin. (Photographie La Presse Canadienne / STF Staff.)*

Durant son second mandat (1973-1976), le régime libéral de Robert Bourassa s'enlise dans les scandales de corruption et la controverse linguistique soulevée par la Loi 22 qui mécontente tout le monde. C'est durant cette période que le PQ adopte la stratégie du référendum : l'élection du PQ ne signifie plus une déclaration d'indépendance immédiate, mais plutôt l'organisation future d'un référendum. Cette stratégie « étapiste » s'avère payante à l'élection suivante, un certain 15 novembre 1976...

Le 15 novembre, la victoire survient alors que Lévesque lui-même la croyait impossible ou extrêmement improbable. Dans son carnet de notes, il avait prévu deux discours, l'un fondé sur une hypothèse basse (vingt ou trente députés), l'autre sur une hypothèse haute (quarante ou cinquante députés). Le PQ obtient finalement 71 députés, avec un peu plus de 41 % des votes, et déloge le Parti libéral qui se retrouve avec 28 sièges. Un peu pris au dépourvu, Lévesque improvisera donc presque totalement son discours de la victoire. Il est élu député de Taillon, au sud de Montréal, avec 22 000 voix de majorité et devient premier ministre du Québec.

PLAGE 20

Le 15 novembre 1976, le Parti québécois est élu contre toute attente. Le discours de la victoire de René Lévesque exprime cette surprise.

Je pense que je n'ai pas besoin de vous dire à quel point je suis incapable, en ce moment, de faire un commentaire sur l'extraordinaire marque de confiance qui était espérée... Je dois vous dire franchement qu'on l'espérait de tout notre cœur, mais on ne l'attendait pas comme ça cette année. Je n'ai jamais pensé que je pouvais être aussi fier d'être Québécois que ce soir.

Je veux remercier du fond du cœur tous les Québécois, dans tous les coins du Québec, qui n'ont pas eu peur du changement nécessaire dans le Québec. Je voudrais remercier aussi et féliciter, dans tous les coins du pays, tous ceux qui depuis une dizaine d'années, des milliers, et encore depuis un mois, ont travaillé si fort, d'une façon surhumaine, pour amener ce résultat qui est venu, pensons-y, en une dizaine d'années. C'est tellement vite dans l'histoire d'un peuple. On n'est pas un petit peuple, on est peut-être quelque chose comme un grand peuple.

Et je voudrais dire aussi que je pense que mes collègues ici, comme moi, on est conscients du poids énorme que la confiance des Québécois vient de placer sur nos épaules. Il n'y a personne qui n'est pas conscient du fait qu'il n'y a pas un homme, il n'y a pas un groupe qui peut porter ça sans jamais faire d'erreurs. Tout ce qu'on peut vous promettre, et je vous le promets et on vous le promet tous du fond du cœur, c'est qu'on va le porter ce poids-là avec toute l'énergie, avec toute l'honnêteté et avec tout l'enthousiasme qu'on va pouvoir y mettre. Et on va le faire, et je les renouvelle au nom de tout le monde ce soir, en tenant de notre mieux tous et chacun des engagements que nous avons pris. Je ne les répéterai pas ce soir, mais on n'en oubliera pas un seul. Je répète en particulier cet engagement central, qui ne change pas le fait du tout que du fond de mon cœur, du fond de notre cœur à tous, on espère en amitié avec nos concitoyens du Canada arriver à nous donner le pays qu'est le Québec... Mais ce pays du Québec viendra uniquement quand une société adulte, consciente en elle-même, l'aura approuvé avec une majorité claire et démocratiquement, dans un référendum, comme nous l'avons promis.

J'ai entendu tout à l'heure monsieur Bourassa qui nous a félicités très généreusement et qui a employé des propos extrêmement appropriés et courageux dans une soirée comme celle-là — je sais ce que c'est, je l'ai vécu aussi, que de perdre, je sais ce que c'est et je voudrais le féliciter de l'avoir pris de la façon qu'il a montrée tout à l'heure.

Je tiens à féliciter tous les élus du parti qu'on ne verra pas ce soir, mais on va les rencontrer d'ici quelques jours. Je veux féliciter aussi chaleureusement tous ceux qui, souvent de justesse, n'ont pas remporté leur comté. On se reverra, avec eux aussi. À titre personnel, je voudrais leur dire, c'est peut-être une consolation, que ça arrive une fois, deux fois, mais pas nécessairement trois fois.

Si vous le permettez, je voudrais dire de façon très très calme, très très sincère, je voudrais dire à nos adversaires, au Québec, à nos adversaires et à ceux, ici, ailleurs, qui ont pu craindre les résultats de la victoire du Parti québécois, qu'on veut et qu'on va travailler de toutes nos forces à faire du Québec une patrie qui va être plus que jamais la patrie de *tous* les Québécois qui l'habitent et qui l'aiment. Et encore une fois, je ne sais pas comment remercier les électeurs de la confiance et de la responsabilité qu'ils ont accordées ce soir. À mon humble avis, je ne sais pas comment l'évaluer mais je suis sûr que c'est à peu près, politiquement, la plus belle et peut-être la plus grande soirée de l'histoire du Québec.

Archives de Radio-Canada. Extrait de « La Soirée des élections
provinciales », 15 novembre 1976.

René Lévesque le soir de la victoire du PQ, le 22 novembre 1976, en compagnie de Lise Payette.
(© F. Renaud, Publiphoto.)

5 L'effervescence de l'ère péquiste

LE NOUVEAU GOUVERNEMENT, qui comporte une proportion sans précédent de professeurs, de journalistes et d'intellectuels, s'installe dans une ambiance effervescente qui n'est pas sans rappeler celle de la Révolution tranquille, quinze ans plus tôt. On a même alors parlé de « Deuxième Révolution tranquille ».

Deux grandes questions le mobilisent immédiatement : la question linguistique et le financement « propre » des partis politiques — l'une des obsessions de Lévesque qui avait vu les méfaits de la corruption politique sous l'Union nationale, puis dans les dernières années du régime libéral de Robert Bourassa. D'autres lois, comme celle instaurant un régime universel d'assurance-automobile, figurent au menu de ces quatre années de gouvernement menées tambour battant, durant lesquelles une collection de novices brillants apprivoisent rapidement les mécanismes du pouvoir et de la législation.

◀ *René Lévesque en visite officielle en France, à l'automne de 1977, accueilli par Jacques Chirac devant la mairie de Paris. (Photographie Jules Rochon, Ministère des Communications du Québec, ANQ Québec, E10 D77-842 P5A.)*

La Loi 101, présentée par le ministre Camille Laurin, dote le Québec d'une Charte de la langue française. Elle est emblématique de ce premier mandat du PQ. Dans sa version initiale, de manière symbolique, elle portait d'ailleurs le numéro 1. Mais René Lévesque n'a jamais été très porté sur les législations linguistiques, qu'il voyait comme « un mal nécessaire » dans le contexte québécois, marqué par l'insularité linguistique, la fragilité démographique et une immigration massive et anglicisante. D'ailleurs, lors des débats linguistiques récurrents des quinze années précédentes, il s'était toujours rangé du côté des partisans de la modération, tout en dénonçant le laisser-faire total qui ne pouvait mener qu'à l'assimilation progressive des Québécois francophones.

À la fin des années 60, la fondation du PQ avait donné lieu à un vif débat entre « radicaux » et « modérés » sur cette question, les « radicaux » de tendance RIN prétendant instaurer un unilinguisme strict à la grandeur du Québec et dans presque tous les domaines de la vie, les « modérés » insistant au contraire pour la reconnaissance des « droits historiques » des anglophones. Lévesque a par exemple toujours insisté pour que les anglophones puissent maintenir, dans un Québec indépendant, leur réseau d'écoles financées par l'État.

Cela dit, René Lévesque défendra la Loi 101 en toutes occasions une fois qu'elle aura été adoptée, et dénoncera les coups de boutoirs que les tribunaux — et surtout la Cour suprême du Canada, penchant du côté des fédéralistes —, assèneront à cette loi en invalidant un après l'autre plusieurs de ses articles au cours des années suivantes.

PLAGE 21

Peu après l'adoption de la Loi 101, en 1977, René Lévesque se prononce sur cette question.

Si je suis devenu indépendantiste… une des raisons, c'est loin d'être la seule parce que je ne crois pas simplement à cette perspective-là, mais *une* des raisons, c'est que je ne vois pas comment notre problème d'identité culturelle, linguistique, peut se régler autrement que par la souveraineté politique, c'est-à-dire d'être chez soi. Pour une majorité chez elle, ben, la langue, ça se respire et ça vient naturellement. Entre-temps, on est obligé de légiférer. Cela m'humilie. Je me sens humilié. Je me dis : pourquoi notre maudit contexte nous oblige à faire cela ? Mais il nous oblige.

Archives de Radio-Canada. Extrait de l'émission « Télémag », septembre 1977.

Pierre Elliott Trudeau et René Lévesque à l'Assemblée nationale, le 2 décembre 1977.
(Photographie Daniel Lessard, Ministère des Communications du Québec,
ANQ Québec, E10 D77-767 P11A.)

▶▶❙ 2 1

PLAGE 22

René Lévesque s'explique sur une loi dont il était très fier : la loi sur le financement des partis politiques.

On aura donc en priorité, à l'Assemblée nationale, à renforcer cette crédibilité sur le plan national par des lois qui régiront strictement les caisses électorales et qui augmenteront du même coup le financement public des activités essentielles des partis, mais qui faciliteront aussi, par une déductibilité modeste des contributions, la participation populaire qui demeure essentielle dans ce financement de l'action politique.

Archives de Radio-Canada. Extrait de l'allocution à l'Assemblée nationale, mars 1977.

PLAGE 23

En septembre 1977, moins d'un an après son élection, Lévesque parle des désillusions du pouvoir.

La pratique du pouvoir fait qu'on vit tous les jours — et à mesure que les mois passent, on le vit d'autant plus intensément — une phrase que j'avais déjà lue et qui est extraordinairement, je crois, perspicace pour tout gouvernement et peut-être plus particulièrement pour un gouvernement placé comme on l'est. C'est que, dans ce métier-là, le plus gros défi, je pense, c'est de ne pas perdre l'idéal tout en perdant toutes ses illusions. Celles qui restent, je vous jure qu'elles filent assez vite pendant les quelques premiers mois de pouvoir. J'avais déjà vécu le pouvoir, mais on oublie un peu... et je n'avais jamais été au poste où je suis en ce moment. Les illusions, si on en a, il n'en reste plus beaucoup après quelques mois. Mais l'espoir, ou l'idéal, c'est cela qu'il s'agit de protéger pendant que le reste s'en va.

Archives de Radio-Canada. Extrait de l'émission « Télémag », septembre 1977.

En novembre 1977, Lévesque, encore tout auréolé de la nouveauté d'un parti indépendantiste au pouvoir au Québec — et alors que tout paraît encore possible lors d'un éventuel référendum —, effectue un voyage triomphal en France. Reçu en grande pompe par le président Valéry Giscard d'Estaing qui l'assure de la sympathie et de l'appui de la France «quel que soit le chemin que les Québécois choisiront», il prononce devant l'Assemblée nationale française un discours mémorable au cours duquel il résume toute sa démarche et tous les espoirs des indépendantistes québécois.

Le gouvernement fédéral canadien, représenté en France par l'ambassadeur Gérard Pelletier — une vieille connaissance et un ancien camarade journaliste de René Lévesque — exprime son malaise devant ces débordements d'affection entre Paris et Québec.

PLAGE 24

Novembre 1977. Reçu en grande pompe, René Lévesque prend la parole devant l'Assemblée nationale française.

Il s'agit d'un peuple qui, pendant longtemps, s'est contenté pour ainsi dire de se faire oublier pour survivre. Puis il s'est dit que, pour durer valablement, il faut aussi s'affirmer. Et ensuite que, pour bien s'affirmer, il peut devenir souhaitable et même nécessaire de s'affranchir collectivement. Il est donc arrivé, il y aura un an dans quelques jours, qu'un parti soit porté au pouvoir dont la raison d'être initiale, et toujours centrale, est justement l'émancipation politique. Et quoi qu'on ait prétendu et qu'on prétende encore, dans certains milieux qui n'ont guère prisé l'événement, les électeurs savaient fort bien ce qu'ils faisaient. Ils n'étaient ni ignorants ni distraits. Et bien des gens, même chez ceux qui s'y opposaient, ont ressenti une grande fierté de cette victoire sur le chantage propre à tous les

▶▶❘ 24

régimes qui se sentent menacés. Il est donc, me semble-t-il — nous semble-t-il à beaucoup, qui sommes en nombre croissant —, il est donc de plus en plus assuré qu'un nouveau pays apparaîtra bientôt démocratiquement sur la carte, là où jusqu'à présent un État fédéral aurait bien voulu n'apercevoir qu'une de ses provinces parmi d'autres et là où vit la très grande majorité de ceux que vous appelez souvent « les Français du Canada » — une expression dont la simplicité, qui rejoint toujours quelque chose d'essentiel, est pourtant devenue quelque peu trompeuse en cours de route. Mais, si vous voulez bien, commençons, quand même, par tout ce que l'expression conserve d'authentiquement vrai. À beaucoup d'entre vous, qui n'êtes pas vides de mémoire, je n'apprendrai rien bien sûr, parce que beaucoup d'entre vous avez suivi assidûment et avec sympathie l'évolution du Québec et vous connaissez son histoire. Mais je crois qu'il n'est pas mauvais d'en rappeler les grands traits, parce que cette histoire elle est la vôtre aussi pendant un bon bout du chemin qu'elle a parcouru. Sur quelque 2000 kilomètres, du nord au sud, et plus de 1500 de l'est à l'ouest, le Québec — physiquement du moins — est la plus grande des contrées du monde dont la langue officielle soit le français. Plus de quatre sur cinq de ses habitants sont d'origine et de culture française. Hors de l'Europe, nous formons donc la seule collectivité importante qui soit française de souche. Nous pouvons tout comme vous évoquer sans rire, ou enfin en riant si peu, « nos ancêtres les Gaulois ». Et comme nous ne sommes pourtant que six millions, au coin d'un continent comptant quarante fois plus d'anglophones, il nous arrive même à l'occasion de nous sentir cernés comme Astérix dans son village et de songer aussi que l'Amérique du Nord toute entière aurait fort bien pu être gauloise plutôt que, disons, « néo-romaine ».

[...] Mais considérant tout ce qui nous unit, nous attendons cependant de vous, et de tous les francophones du monde, compréhension et sympathie. Quoi qu'il advienne, nous entendons maintenir et accroître, avec le peuple français, sur ce pied d'égalité que nous avons eu moins de peine à trouver que d'autres — qui auraient dû le trouver plus vite —, mais de maintenir, dis-je, avec votre peuple français, sur ce pied d'égalité que nous avons trouvé, ces relations privilégiées établies depuis bientôt vingt ans et qui sont, je crois, si mutuellement fructueuses et bénéfiques à tous les égards. Et si vous le voulez bien, Monsieur le Président et Messieurs les membres de l'Assemblée nationale, je vous prierai donc de transmettre aux hommes et aux femmes de votre pays les vrais et profonds sentiments d'amitié et de fraternité de tous les Québécois et de toutes les Québécoises. Merci.

Archives de Radio-Canada. Extrait du « Discours de René Lévesque à Paris », 2 novembre 1977.

6

Le référendum, la blessure

LA DEUXIÈME PARTIE du premier mandat péquiste est dominée par la préparation du référendum, les spéculations sur la date de la consultation, les considérations tactiques et stratégiques, le «débat sur la question». À Ottawa, le Parti libéral de Pierre Elliott Trudeau est chassé du pouvoir, début 1979, et le Parti conservateur de Joe Clark installe un gouvernement minoritaire à la Chambre des communes du Canada.

Plusieurs au Parti québécois préconisent alors un référendum «coup de poing» dès l'automne de la même année, pour profiter de l'évincement de l'adversaire historique de René Lévesque et de la désorganisation qui règne à Ottawa à l'occasion d'un changement de régime. Mais Lévesque, animé par un fair-play que certains trouveront excessif, veut donner à M. Clark, réputé mieux disposé que Trudeau à l'égard du Québec, le temps de s'installer. Le référendum

◄ *«À la prochaine fois!» lance René Lévesque au soir de la défaite du référendum, le 20 mai 1980. En arrière-plan, sa femme, Corinne Côté. (Photographie La Presse Canadienne.)*

a donc lieu au printemps de 1980, alors que le gouvernement péquiste est déjà au milieu de sa quatrième année.

Mal lui en a pris, car le gouvernement conservateur minoritaire tombe à la fin de 1979, et les libéraux de Trudeau reprennent le pouvoir en février 1980. Bien que les péquistes aient dominé, au début de l'année, le débat qui s'est tenu à l'Assemblée nationale sur la question référendaire, il en va tout autrement de la campagne qui s'ensuit.

On ne saura jamais jusqu'à quel point des conditions tactiques plus favorables auraient finalement pu faire monter le «oui», mais le fait est que les tuiles s'abattent sur le PQ en ce printemps de 1980 : retour triomphal de Trudeau à Ottawa, qui jouera un rôle important dans la campagne ; gaffe célèbre des «Yvettes» par la ministre Lise Payette — elle assimile les femmes fédéralistes à la femme soumise d'un vieux manuel scolaire, prénommée Yvette —, exploitée de façon systématique par les tenants du «non» ; fatigue d'un gouvernement en fin de mandat…

Le ton de René Lévesque lors d'une assemblée de fin de campagne, vers la mi-mai, trahit son absence de foi en la victoire malgré des paroles qui prétendent dire le contraire. Le 20 mai 1980, les Québécois votent «oui» à 40,5 % et «non» à 59,5 %. Le discours de Lévesque est digne dans la défaite, bouleversant de douleur contenue, et peut se résumer par le timide «à la prochaine fois…» qu'il lance aux militants blessés.

PLAGE 25

Une intervention de fin de campagne, en mai 1980.

J'ai assez confiance dans cette confiance en nous que j'ai sentie depuis le début de la campagne que je commence à avoir confiance aussi qu'on va gagner le 20 mai. Alors, ne lâchez pas !

Archives de Radio-Canada. Extrait d'un discours de la campagne référendaire, mai 1980.

PLAGE 26

Le 20 mai 1980, le « non » l'emporte. René Lévesque exprime sa douleur devant ses partisans.

Mes chers amis, si je vous ai bien compris, vous êtes en train de dire « à la prochaine fois ». Mais en attendant, avec la même sérénité que tout notre comportement pendant la campagne, il faut quand même avaler la défaite cette fois-ci, ce n'est pas facile. Je m'excuse d'avoir attendu pour venir vous trouver ; je dois vous avouer qu'on continue à espérer pendant longtemps… Parce que c'est… je dois vous dire que c'est dur, ça fait plus mal — ça fait mal plus profondément — que n'importe quelle défaite électorale, et je sais de quoi je parle.

Je vous demande, je voudrais, je dois vous demander d'écouter un tout petit peu ce que je crois qu'on doit se dire à la fin de la campagne. Il est clair, admettons-le, que la balle vient d'être renvoyée dans le camp fédéraliste. Le peuple québécois vient nettement de lui donner encore une autre chance. Il appartiendra dans les semaines et les mois qui viennent aux fédéralistes et d'abord à monsieur Trudeau lui-même, il leur appartiendra de mettre un contenu dans les promesses qu'ils ont multipliées depuis 35 jours. Ils ont tous proclamé que si le « non » l'emportait, le *statu quo* était mort et enterré et que les Québécois n'auraient pas à s'en repentir.

En attendant de voir ce qui s'ensuivra, cette victoire du « non », même si je dois répéter, parce qu'on s'en souviendra de ce point de vue-là, qu'elle est peu reluisante sur le plan du contenu comme sur celui des méthodes — et en particulier cette campagne scandaleusement immorale du fédéral lui-même, cette campagne par laquelle on a piétiné, sans la moindre hésitation, toutes les règles du jeu que nous nous étions données entre Québécois —, cette victoire du « non » malgré tout il faut l'accepter.

Mais aussi, au nom de l'immense majorité des générations montantes, et de la force de l'âge aussi du Québec d'aujourd'hui, et aussi peu à peu chez les Québécois d'autres origines dans les mêmes générations, il faut mettre les vainqueurs fédéralistes de ce soir en garde, en garde sérieusement, contre toute tentation de prétendre nous manger la laine sur le dos, et de prétendre nous imposer quelque sorte de changements que ce soit, qui ne soient pas le plus possible conformes aux changements que le Québec revendique depuis bientôt 40 ans. En tout cas, jusqu'aux prochaines élections, je peux vous assurer que le gouvernement va tâcher d'être vigilant comme jamais, pour qu'au moins tous les droits actuels du Québec soient respectés et que tout changement ne prétende pas empiéter d'aucune façon sur cette marge d'autonomie que le Québec, de peine et de misère, a réussi à s'assurer

Et maintenant, à toutes celles et à tous ceux qui ont fait cette admirable campagne du « oui » qui va rester, pour quiconque y a participé, le souvenir le plus inoubliable de ferveur, d'honnêteté, de fierté justifiée et, malgré les calomnies, d'une fierté fraternelle et ouverte aux autres, je vous dis : gardez-en le souvenir mais gardez l'espoir aussi. Acceptons le résultat puisqu'il le faut, mais ne lâchons pas et ne perdons jamais de vue un objectif aussi légitime, aussi universellement reconnu entre les peuples et les nations que l'égalité politique, ça viendra.

Aujourd'hui, du fond de la conscience que j'ai, et de la confiance que j'ai aussi dans l'évolution du Québec qui va se poursuivre, il faut dire que ce 20 mai 1980 restera peut-être comme un des derniers sursauts du vieux Québec qu'il faut respecter ; on est une famille très évidemment encore divisée à ce point de vue-là. Mais j'ai confiance qu'un jour il y aura un rendez-vous normal avec l'Histoire que le Québec tiendra, et j'ai confiance qu'on sera là ensemble pour y assister.

Mais j'avoue que ce soir je serais bien mal pris pour vous dire exactement quand ou comment. La seule chose que je voudrais ajouter c'est ceci : avec la même fondamentale confiance en nous et tenant compte du fait que demain il faut continuer à vivre ensemble, et qu'il y a très évidemment de grosses divisions entre nous, est-ce qu'on pourrait terminer un peu cette soirée en chantant pour tout le monde ce qui reste la plus belle chanson québécoise... à tous, sans exception, à tous les gens de chez nous ? Si quelqu'un voulait l'entonner, « Gens du pays », moi je ne suis pas tout à fait en voix.

Archives de Radio-Canada. Extrait de « La Soirée du référendum », 20 mai 1980.

7

Le deuxième mandat et la descente aux enfers

MOINS D'UN AN après l'épreuve du référendum, le Parti québécois est réélu avec une majorité accrue. Un peu comme si les Québécois avaient voulu dire au chef qu'ils l'aimaient même s'ils venaient de lui dire « non » sur l'objectif central qu'il poursuivait. Ou souligner que le PQ avait tout de même constitué, durant son premier mandat, un excellent gouvernement provincial. Le soir du 13 avril 1981, le PQ obtient presque 50 % des voix, et 80 députés sur 122. L'échec du chef libéral, l'ex-directeur du *Devoir* Claude Ryan, qui avait fait la campagne victorieuse du « non » un an plus tôt, mènera bientôt à son départ forcé au profit… de son prédécesseur Robert Bourassa, qui va bientôt entreprendre une seconde carrière politique.

Mais le PQ a été durement et durablement blessé par la défaite référendaire, et ce ne sont pas les déboires de Claude Ryan qui vont y changer quelque chose. Le second gouvernement du PQ n'est que l'ombre du premier. En novembre 1981, survient la fameuse « nuit des longs couteaux » au cours de laquelle le gouvernement fédéral

◄ *René Lévesque en 1982, lors d'une manifestation contre le rapatriement de la Constitution.*
(© P.G. Adam, Publiphoto.)

et les neuf provinces anglophones s'entendent en catimini sur le rapatriement de la Constitution canadienne de Westminster à Ottawa, assorti d'une formule d'amendement, en l'absence des représentants du Québec. Un coup dur pour Lévesque qui ne s'en remettra jamais complètement.

De plus, ce second mandat (1981-1985) coïncide avec une très dure récession, au cours de laquelle René Lévesque et son ministre des Finances, Jacques Parizeau, forcés de pratiquer de dures coupes budgétaires dans le secteur public, se feront des ennemis dans le monde syndical.

Des militants fidèles acclament René Lévesque, le 13 avril 1981. (Photographie Daniel Lessard, Ministère des Communications du Québec, ANQ Québec D81-245 P10.)

Mais ce qui mine le plus le PQ du début des années 80, ce sont les querelles intestines qui occupent une grande partie du temps de René Lévesque.

Par deux fois, la base dite « radicale » du PQ cloue au pilori la stratégie « étapiste », qui oblige à la tenue d'un référendum pour atteindre l'objectif du pays souverain, et se lance dans une spectaculaire fuite en avant en rétablissant une clause de l'ancien programme du parti selon laquelle une simple majorité parlementaire devrait suffire à proclamer l'indépendance du Québec. Les prochaines élections seraient donc « référendaires ». Et par deux fois, René Lévesque, en guerre ouverte contre une partie de sa propre formation politique, renverse ces décisions par des méthodes contestées : référendum interne au parti, début 1982, appelé le « renérendum », puis congrès extraordinaire, début 1985.

À l'automne de 1984, le premier ministre est encouragé par l'élection du Parti conservateur à Ottawa avec qui la coopération est assimilée à un « beau risque », car, selon lui, « le fédéralisme, ce n'est pas le goulag ». Lévesque annonce deux décisions :
– le PQ ne doit pas pouvoir faire l'indépendance sur la base d'une simple majorité parlementaire,
– les prochaines élections ne devront, en tout état de cause, pas porter sur le thème de la souveraineté du Québec, ni de près, ni de loin.

Ulcérés, une demi-douzaine de ministres de premier plan, dont Jacques Parizeau, quittent immédiatement le gouvernement. Peu après, Lévesque fait ratifier ses thèses lors d'un congrès extraordinaire du PQ. Il se justifiera plus tard en affirmant que la base radicale avait perdu le contact avec la réalité et entraîné le parti dans une dérive dangereuse.

PLAGE 27

En janvier 1985, René Lévesque reprend le contrôle du parti qui avait été mis sur une voie radicale par une fraction de la base.

On peut certainement se féliciter de l'avoir réussi d'une façon aussi éclatante et d'une façon qui dissipe indiscutablement toute ambiguïté. Cette journée s'inscrira donc dans l'histoire du parti comme celle d'une maturité sans précédent et, ce qui a plus d'importance encore, d'une absolue transparence. Quant à moi en tout cas, rien n'est plus clair que le genre de formation politique que nous sommes redevenus à ce congrès, et je dis bien « redevenus ». Nous sommes en effet, à toutes fins utiles, revenus aux sources, c'est-à-dire que nous sommes toujours, comme depuis le début, des souverainistes, mais... avec le réalisme que commande la situation plus que particulière que l'histoire et la géographie ont faite au Québec. Ce n'est pas pour rien que dès le départ, il y a 17 ans, on évoquait non seulement des États associés mais même, souvenez-vous, une sorte de nouvelle communauté canadienne. On pouvait déjà flairer, en effet, que ce ne serait jamais, quels que fussent les caprices de l'évolution, un résultat d'une harmonie cartésienne. Le cynisme, la mauvaise foi et les obsessions de fossoyeurs qui régnaient jusqu'à récemment à Ottawa avaient même fini, quand même, hélas, nous le savons maintenant, par nous tournebouler quelque peu nous autres aussi et par nous transformer un certain temps en terribles simplificateurs à notre tour. Nous avions même commencé à nous infliger dangereusement une allure de ghetto. Aujourd'hui, nous venons de nous en débarrasser une bonne fois pour toutes.

Archives de Radio-Canada. Extrait du « Congrès du Parti québécois », 19 janvier 1985.

PLAGE 28

Un an plus tard, Lévesque revient sur cet épisode et sur l'attitude qu'il a adoptée.

Je n'ai jamais eu le goût du suicide. Je ne voyais pas d'autre façon, pour un parti qui voulait continuer d'être pris au sérieux, que de se rapprocher de ce qui était très évidemment le sentiment général de la population, c'est-à-dire : ne nous jetez pas de nouveau dans quelque chose qui pourrait avoir l'air référendaire. Et peut-être que je suis allé un peu trop loin, peut-être que, une fois décidé, j'ai été trop brutal… Je voyais l'absolue nécessité de cesser de faire de la politique dans l'irréel. C'est ce qu'on était en train de faire depuis un certain temps, c'est-à-dire… déblatérer entre nous presque du sexe des anges alors que beaucoup de problèmes se posaient dans la population et que peu à peu on sentait que la population s'éloignait.

Archives de CKAC. Extrait de l'émission « Ni noir, ni blanc »,
janvier 1986. (Dépositaire : Denis Leblanc de l'Expo-musée de la radio.)

8 Le départ
la vie après la politique

MALGRÉ cette nouvelle reprise en mains, dont seul René Lévesque avait le secret, ce dernier ne prolongera pas son règne pour autant. Traversant des difficultés sur le plan personnel, erratique, en proie à un *burn-out* qui consterne son entourage, de plus en plus contesté malgré sa victoire sur les «radicaux» quelques mois plus tôt, René Lévesque annonce son retrait de la présidence du Parti québécois le 20 juin 1985. Le 3 octobre, il quitte son poste de premier ministre et Pierre Marc Johnson, le fils de Daniel Johnson, ancien leader de l'Union nationale, lui succède. Ce dernier occupera ce poste deux mois, le PQ étant chassé du pouvoir en décembre par les libéraux de Robert Bourassa.

La vie après la politique sera courte pour René Lévesque. Courte, mais intense comme toujours. Durant les deux années qu'il lui reste, il fait un long voyage à l'étranger; écrit en un temps record ses mémoires (*Attendez que je me rappelle*) qui connaissent un grand succès de librairie; prépare une série à la télévision; redevient chroniqueur à la radio.

◀ *René Lévesque une semaine avant sa mort. (© J.P. Karsenty, Publiphoto.)*

Une crise cardiaque le terrasse le 1ᵉʳ novembre 1987, alors même qu'il semblait avoir retrouvé la santé et le goût de vivre. Sa mort bouleverse le Québec qui lui fait d'émouvantes funérailles.

Lors d'une entrevue réalisée à l'occasion de la sortie de ses mémoires, René Lévesque avait exprimé sa confiance dans la « marche du Québec » qui ne pourra, selon lui, que mener un jour à son émancipation nationale.

PLAGE 29

Malgré tout, Lévesque affirmera jusqu'au bout sa confiance dans l'émancipation nationale du Québec. L'un de ses derniers enregistrements...
Avec l'espèce d'émergence du Québec moderne qui s'est faite depuis un quart de siècle, moi j'ai l'impression qu'il y a des hauts et des bas, c'est un peu comme la marée. Je suis comme tous les gars du bord de la mer, mes images viennent de ce côté-là. Bon, la marée peut baisser à l'occasion, elle va revenir. Mais de toute façon, la marche du Québec vers une sorte d'épanouissement complet, moi, je pense que c'est irréversible et que ça va mener éventuellement à une définition nationale beaucoup plus précise.

Archives de CJMS, octobre 1986. (Dépositaire : Denis Leblanc de l'Expo-musée de la radio.)

René Lévesque en 1980. (Photographie La Presse Canadienne.) ▶

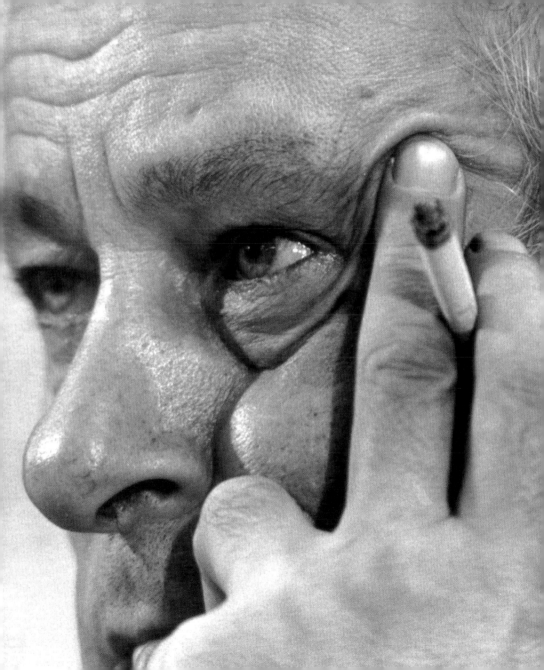

Conclusion

EN GUISE de conclusion, laissons René Lévesque exposer lui-même sa vision de l'avenir du Québec, comme il l'a fait en 1985, dans sa postface à *Lévesque-Bourassa : au-delà de l'image*.

Un peuple ne saurait, lui non plus, se passer de tout idéal. Il aura toujours besoin de rêver collectivement, et que de ses rêves sortent des projets.

C'est ainsi que, depuis 25 ans, le Québec politique a été constamment survolté. Le climat était tout chargé d'espoirs et d'attentes, qui nous ont menés à d'admirables réussites mais aussi, parfois, à de déprimants échecs.

Jetons un coup d'œil en arrière, et voyons d'où nous sommes partis, il y a juste un petit quart de siècle : ce qu'étaient alors nos «services» de santé ; ce système d'éducation moyenâgeux que Duplessis s'obstinait à appeler «le meilleur au monde» ; notre situation économique de porteurs d'eau pour les autres ; et puis nos bouts de chemin, nos riches avec «leurs» pauvres, et la désespérante habitude de se résigner à tout ça «parce qu'on était né pour un p'tit pain»...

On s'en est sorti. Le long du chemin, qui a paru bien long, alors qu'en fait ç'a été l'un des rattrapages les plus rapides de toute l'Histoire, on s'est aussi fabriqué un État moderne. Avec un appareil d'administration publique, un peu lourd sans doute, mais dont la compétence n'est plus mise en cause que par ceux qui se heurtent à son intégrité.

Alors, à ce peuple et cet État québécois, on a été nombreux à croire qu'il fallait l'indépendance, la souveraineté, pour accéder à la maturité pleine et entière. Pour votre serviteur comme pour bien d'autres, cela reste tout aussi vrai et souhaitable qu'au début de notre action, il y a 18 ans.

Mais ça ne se fera — le référendum ne l'a que trop démontré — ni aussi rapidement que nous l'avions cru, ni sans doute de la même façon.

[...]

L'individualisme n'est pas du tout une négation, un refus de l'appartenance. Il en est plutôt la source la plus pure : Je suis moi-même, certes, mais qui est ce «moi» ? De quelles racines est-il issu, et combien sommes-nous de «moi» de la même espèce ?

Et ce sont tous ces individus qui, sans aucunement s'oublier, en se rendant compte simplement qu'on a toujours besoin de l'autre et vice-versa, franchiront dès lors ensemble ce pas qui les grandira tous et chacun.

Donc, il grandit par lui-même ce peuple du Québec, et par lui-même il s'accomplira. À l'intérieur de ce régime fédéral auquel il a librement décidé de continuer à appartenir et dont il respectera comme toujours les règles du jeu – pourvu que celles-ci renoncent de leur côté à l'idée saugrenue d'entraver sa marche comme jadis Canut prétendant stopper la marée.

Ce peuple, je le voyais l'autre jour en survolant sa vallée du Saint-Laurent, plus vivant et plus sûr de lui qu'il ne le sent lui-même, dans cette vaste prairie printanière et généreuse, plantée d'une forêt d'industries chaque jour plus modernes.

Qu'il y subsiste quelques coupes sombres et, çà et là, des coins encore stériles, qui le nierait? Cette bonne vieille et «poisonne» tradition d'absentéisme, par exemple, qui nous coûte à elle seule, vient-on d'apprendre, «près de vingt fois le nombre de jours/personnes perdus dans des grèves et des lock-out».

Et de loin plus préoccupante, angoissante même, cette autre absence — celle des enfants — qui nous a fait dégringoler en une génération du plus haut au plus bas de tous les taux de natalité de l'Occident. Nous ne nous reproduisons même plus. À vous d'y voir, vous parents de demain, si tant est que vous aussi vouliez des héritiers! Cette splendeur incomparable des petits qui sont en même temps une démonstration vivante de confiance en soi et en l'avenir.

Parce que l'avenir, ce n'est pas une ressource naturelle. Lui, il est illimité. Et au fond de nous-mêmes, nous en sommes tous conscients. Même si, parfois, on a l'impression de se traîner dans un tunnel où «tout le monde est malheureux... malheureux tout le temps!»

A qui la faute? A la conjoncture, aux mille et une façons de la noircir, aux mauvais souvenirs de la crise qui perdurent après que le soleil a reparu... À chacun, à personne.

Mais aussi et peut-être d'abord, admettons-le, notre faute à nous du Parti québécois. Notre «très grande faute» d'être restés là, comme un boxeur groggy qui n'arrive plus à trouver son second souffle. Sonnés par la défaite référendaire, incapables trop longtemps de rajuster (comme on dit) le «discours», puis finalement nous entredéchirant comme la bête acculée qui se mord elle-même les flancs, nous avons été comme l'écran qui cache tout le reste.

L'arbre blessé, tout en craquements au coeur de sa propre mini-tornade, et dont branches et feuilles torturées, arrachées, empêchent de voir la forêt. Cette forêt du Québec vivant qui, par bonheur, a dès lors cessé de s'en inquiéter pour s'occuper de sa propre santé.

Est-ce à dire que ce serait la fin de nous?

Jamais de la vie.

Nous demeurons – que nos détracteurs le veuillent ou pas! — LE parti des Québécois.

Le seul qui n'ait jamais, que je sache, placé ses intérêts de clan au-dessus des intérêts supérieurs de la nation toute entière. Quitte à payer ça très cher à l'occasion.

Le seul encore qui ne soit pas devenu le genre de «vieux parti» dont le rôle est d'aimanter les opportunistes, le carriérisme et tous ces groupes de pression *me, myself and I*, pour lesquels les affaires publiques n'ont de sens ou de sérieux qu'à condition de bien servir les privées... aussi privément que possible!

Voilà, me semble-t-il, ce que nos erreurs ne devraient pas effacer des esprits.

Pas plus que l'importance cruciale des défis qui ne cessent de se multiplier. Il n'est plus rien, ni dans le développement économique, ni dans le climat social, pas plus que dans la vie de tant d'entre nous, qui n'exige d'année en année, presque de jour en jour, de plus en plus d'attention et de «fini».

Ce qui s'applique tout autant à cet édifice collectif: notre État national à parfaire, notre démocratie qui, comme tout autre, demeurera inachevée...

«Libérer l'avenir», ai-je dit en osant commencer cette postface que, l'ayant abandonnée puis rattrapée je ne sais combien de fois ces derniers temps (ne dites pas que ça paraît, je le sais), je termine enfin, cahin-caha, sur la route Montréal-Québec.

Or, s'agissant de libérer l'avenir, ou qui ou quoi que ce soit, la première question à se poser c'est non pas comment le faire, mais pour qui ? Depuis tant et tant d'années que nous sommes là, en pleine « transparence », nous croyons que là-dessus notre réponse est crédible, en bien ou en mal, par et pour le peuple québécois.

Que d'autres en fassent autant et, le cas échéant, le prouvent.

Simple question de confiance.

René Lévesque
4 juin 1985

(*Extrait de la postface à* Lévesque-Bourassa : au-delà de l'image —
Bilan 1970-1985, *Montréal, Québec-Amérique 1985*)

Table

5. L'effervescence de l'ère péquiste

6. Le référendum, la blessure

7. Le deuxième mandat et la descente aux enfers

8. Le départ, la vie après la politique

Cet ouvrage a été achevé d'imprimer en octobre 2002
sur les presses de l'imprimerie Interglobe (Canada)